Grégory Bressolles

LE MARKETING DIGITAL

2e édition

DUNOD

Conseiller éditorial : Christian Pinson

11, rue Paul Bert, 92240 Malakoff
www.dunod.com

ISBN 978-2-10-074545-6

Sommaire

CHAPITRE 4
La politique de distribution sur Internet

CHAPITRE 5
La politique de communication digitale

CHAPITRE 6
Les études marketing en ligne et la gestion de la relation client sur Internet

Avant-propos

Internet se généralise auprès du grand public, ce qui engendre des changements dans la société et modifie le comportement des consommateurs et des entreprises. Les médias digitaux bouleversent les stratégies marketing des entreprises et contribuent à créer de nouveaux modèles économiques. Elles disposent d'approches innovantes pour fournir de la valeur aux clients. Elles peuvent également améliorer, grâce aux technologies digitales, les processus et les activités internes à l'organisation, impactant ainsi leur efficience et leur profitabilité.

Les médias digitaux modifient également le comportement des consommateurs qui veulent pouvoir accéder aux sites en tout temps, en tout lieu et depuis n'importe quel support. Internet offre à ces derniers un accès pratique et continu à l'information, au divertissement et à la communication. Il contribue ainsi à renforcer leur pouvoir envers les marques, grâce à un accès à de nombreuses informations sur les produits, les prix, leur disponibilité et la satisfaction des autres consommateurs. De plus, les outils du Web 2.0 favorisent la génération de contenu (texte, photos, vidéos...) par l'utilisateur et le partage de celui-ci avec d'autres internautes.

En réponse à ces évolutions, les entreprises développent de nouveaux modèles d'intelligence marketing, afin d'optimiser la valeur client à chaque interaction ainsi que la relation client. Une meilleure connaissance de celui-ci autorise des actions marketing plus ciblées et une personnalisation des messages, des offres et/ou des produits. Elles doivent cependant être attentives à ne pas devenir trop intrusives dans leur approche. Les médias digitaux offrent, par ailleurs, la possibilité de mesurer l'efficacité des actions marketing à chaque étape du cycle de vie du client et donc d'assurer un arbitrage entre les différents outils d'acquisition et/ou de fidélisation.

Dans ce contexte, cet ouvrage met en avant la façon dont les entreprises peuvent profiter au maximum des technologies digitales et dont les marketeurs peuvent utiliser de façon efficace et efficiente Internet dans leurs plans marketing. Le premier chapitre (chapitre 1) aborde les spécificités d'Internet et des médias digitaux. Il définit notamment l'e-commerce, l'e-business et le marketing digital et présente les e-business modèles. Les chapitres suivants examinent l'impact d'Internet et les spécificités induites par les technologies digitales sur les variables du marketing mix en abordant les politiques « produit » (chapitre 2), « prix » (chapitre 3), « distribution » (chapitre 4) et « communication » (chapitre 5). Le dernier chapitre (chapitre 6) s'intéresse à l'impact d'Internet sur les études marketing et la gestion de la relation client.

CHAPITRE 1

Qu'est-ce que le marketing digital ?

I Comment Internet a-t-il modifié le marketing ?

S'il a fallu respectivement 37 et 15 ans à la radio et à la télévision pour atteindre 50 millions d'utilisateurs au monde, Internet a dépassé ce seuil en trois ans. De même, s'il a fallu 45 ans à la radio et 10 ans à la télévision pour générer 1 milliard de dollars de revenus publicitaires, Internet a atteint ce chiffre en trois ans.

Internet a ainsi contribué à changer le monde et les comportements, il a donc aussi profondément transformé l'approche marketing. Il offre aux consommateurs un accès plus facile à l'information et un très grand choix de produits et de services. Internet permet aux entreprises de conquérir de nouveaux marchés, de proposer des services supplémentaires à moindre coût, d'utiliser des nouvelles techniques de communication et d'être plus compétitives. Il représente à la fois un canal de distribution des produits et services et un canal de communication.

1. Le développement d'Internet et du e-commerce

Depuis le début des années 2000, avec un poids de plus en plus grand dans l'économie, l'e-commerce a profondément modifié les habitudes de consommation et la relation entre une marque et ses consommateurs. Malgré les crises économiques et financières, il enregistre une croissance record avec des chiffres qui ne cessent de progresser. Loin d'être un phénomène passager, il couvre tous les secteurs d'activité. L'e-commerce s'est avéré particulièrement adapté pour la vente de certains produits ou services (voyages, produits culturels, matériel informatique...) tout comme certains biens digitaux qui peuvent être dématérialisés (livre, musique, logiciels, films, jeux...).

Au premier trimestre 2015, selon Médiamétrie, 44,4 millions de français (âgés de 15 ans et plus) se sont connectés à Internet depuis un ordinateur et/ou un mobile et/ou une tablette (soit 86,2 % de la population) et d'après la Fevad, 79 % de ces internautes (34,7 millions) ont acheté en ligne. Cette activité a généré en 2015 un chiffre d'affaires de 65 milliards d'euros (+ 14,3 % par rapport à 2014), représentant cependant moins de 6 % de la consommation des ménages. La barre des 70 milliards devrait être franchie en 2016. Le CA du M-commerce représente, quant à lui, 6 milliards d'euros (+ 50 % par rapport à 2014, soit 10 % du CA des transactions en ligne) ; 6 millions de français ayant déjà acheté à partir de leur mobile. La Fevad recense 182 000 sites marchands actifs en France (+ 16 % par rapport à 2014). Le montant moyen d'une transaction en ligne s'élève à 78 euros. Les cyberacheteurs effectuent en moyenne 23 transactions par an pour un montant moyen total de 1 780 euros. Le profil du cyberacheteur continu à évoluer et la fracture générationnelle se réduit.

Même si les taux de transformation en ligne (rapport entre le nombre de commandes passées et le nombre de visiteurs uniques sur le site) restent encore faibles par rapport aux magasins traditionnels (moins de 5 % en moyenne), ils continuent à s'améliorer. Les *pure players* (sites uniquement présents sur Internet) ont un taux de transformation moyen supérieur de 20 % par rapport aux sites de type *click and mortar* (site disposant également d'un réseau de distribution physique – magasin, hôtel, guichet). Durant des années, il a été souvent dit que l'e-commerce allait tuer le commerce traditionnel. Cependant, on s'aperçoit aujourd'hui que c'est loin d'être le cas et au lieu d'opposer ces deux formes de commerce, il convient d'envisager leur complémentarité. D'après la Fevad, 51 % des sites *click and mortar* ont bénéficié d'un impact positif lié au *web-to-store* (comportement du consommateur qui va consulter Internet avant de se rendre dans un magasin physique) : augmentation du CA et de la fréquentation en magasin, meilleure information client…

2. Différences entre e-commerce, e-business et marketing digital

■ L'e-commerce

L'e-commerce fait référence aux transactions financières et informationnelles qui sont médiatisées par les technologies digitales entre une entreprise (ou une organisation) et une tierce partie (entreprise, organisation, consommateur, gouvernement...). Les technologies digitales mobilisées incluent Internet (sites Web, e-mails...) mais aussi tous les autres médias digitaux comme les téléphones portables, les connexions sans fil (WiFi, Bluetooth...), les tablettes tactiles et la télévision interactive. L'e-commerce comprend la gestion des transactions financières en ligne mais aussi les transactions non-financières telles que les requêtes auprès du service client et les envois d'e-mails par l'entreprise. L'e-commerce est souvent divisé entre un côté vendeur (*sell side*), impliquant toutes les transactions à destination du consommateur final, et un côté acheteur (*buy side*), fournissant à une entreprise les ressources nécessaires à son fonctionnement.

■ L'e-business

L'e-business est similaire à l'e-commerce, mais couvre un périmètre plus large. Il fait référence à l'utilisation des technologies digitales pour gérer une gamme de processus d'affaires incorporant le côté vendeur (*sell side*) et le côté acheteur (*buy side*) de l'e-commerce. Il intègre aussi tout un ensemble d'activités incluant la recherche et développement (R&D), le marketing, la production et la logistique amont et aval. Il consiste donc en l'optimisation continue des activités de l'entreprise grâce aux technologies digitales. Il implique d'attirer et de retenir les bons consommateurs et les bons partenaires d'affaires.

■ Le marketing digital (ou e-marketing)

Le marketing digital peut être défini, quant à lui, comme le processus de planification et de mise en œuvre de l'élaboration, de la tarification, de la communication, de la distribution d'une idée, d'un produit ou d'un service permettant de créer des échanges, effectués en tout ou en partie à l'aide des technologies digitales, en cohérence avec des objectifs individuels et organisationnels. La mise en œuvre des techniques marketing digital a pour objectif d'acquérir de nouveaux clients ou d'améliorer la gestion de la relation avec les clients actuels. Le marketing digital s'intègre bien entendu aux outils marketing traditionnels dans une stratégie marketing multicanal/crosscanal.

Le marketing digital modifie le marketing traditionnel de deux manières. Premièrement, il améliore l'efficacité et l'efficience des fonctions marketing traditionnelles. Deuxièmement, les technologies du marketing digital transforment les stratégies marketing. Elles permettent l'apparition de nouveaux business modèles qui ajoutent de la valeur au consommateur et/ou augmentent la profitabilité de l'entreprise.

La récolte et l'analyse des données clients sont des éléments clés du marketing digital. La constitution d'une base de données (BDD) riche et segmentée est une des priorités pour les e-commerçants. Une BDD efficace permet une stratégie différenciée, discriminante et personnelle qui amène la pertinence des actions. Par ailleurs, le marketing digital doit établir une relation permanente avec les prospects ou les clients, et ce, à chaque étape de la relation client. De l'inscription du client jusqu'à sa fidélisation, un élément important marketing digital est le timing de la relation. La segmentation en temps réel est un des atouts prédominants du marketing digital. Cet atout, propre à l'e-commerce, constitue une véritable force, comparée aux outils de la vente à distance (VAD) traditionnelle.

Les traces laissées aujourd'hui par les internautes sur les différents supports digitaux sont en progression exponentielle, de nature variée et générés à grande vitesse (fichier logs lors de la navigation sur ordinateur/tablette, données de géolocalisation, activité sur les médias sociaux...) ; on parle de Big Data (voir chapitre 6). Ainsi il devient de plus en plus difficile pour les entreprises de collecter et d'analyser ces données mais aussi d'apporter une réponse pertinente au consommateur en temps réel.

3. Les spécificités du marketing digital

Les propriétés des médias digitaux tels qu'Internet font que le marketing digital présente des spécificités et diffère sensiblement du marketing classique. En effet, les médias digitaux autorisent de nouvelles formes d'interactivité et d'échanges d'informations, une plus grande possibilité de personnalisation des produits ou services et/ou de la relation avec le client grâce à l'« intelligence » des technologies digitales.

■ L'interactivité

Sur Internet, généralement, c'est le consommateur qui initie le contact avec le site. L'approche marketing est renversée, l'e-consommateur est « actif » dans sa démarche et l'e-marchand doit apprendre à écouter et à être « passif », il doit donc être rapide, réactif et même proactif. On a l'habitude de dire que sur Internet on ne vend pas mais que c'est le consommateur qui achète. Il est à la recherche d'informations ou d'une expérience en ligne (approche *pull*). Il est donc important pour l'entreprise de se trouver en bonne position sur son chemin (moteurs, de recherche, sites de portail...). Lorsque le consommateur est sur le site, l'entreprise peut obtenir et mémoriser ses réponses et ses préférences pour de futurs échanges. Ces éléments favorisent l'instauration d'une communication et des échanges bilatéraux entre l'entreprise et le consommateur *via* le site. Il y a établissement d'un dialogue et non pas d'un simple monologue, comme c'est le cas, pour les médias traditionnels.

■ La connaissance du consommateur

Internet peut être utilisé pour collecter, à un coût relativement faible, des informations marketing, en particulier celles relatives aux préférences du consommateur, permettant d'améliorer la connaissance consommateur. Chaque fois qu'un consommateur charge le contenu d'une page, cette information est stockée par le site et peut être analysée afin d'établir la manière dont les consommateurs interagissent avec le site. Grâce à la mesure d'audience (*click-stream analysis*), il est possible de déterminer les préférences des internautes et leurs comportements en fonction des sites et du contenu qu'ils visionnent.

On assiste également aujourd'hui à une croissance exponentielle de ces informations marketing générées par le consommateur lors de ses interactions avec l'entreprise (fichiers logs, interactions sur les réseaux sociaux ou le blog, données transmises par les applications sur smartphones, tablettes,...). Il devient, à la fois, de plus en plus difficile mais absolument nécessaire à l'entreprise de collecter et d'analyser ces *Big Data* afin de mieux connaître ses consommateurs.

L'individualisation

Une autre caractéristique important des médias digitaux comme Internet est qu'ils permettent de personnaliser en masse (*mass customization*) les produits ou services proposés aux consommateurs. Ils permettent aussi d'individualiser la relation client en ligne à moindre coût, alors que, pour les médias traditionnels, il s'agit généralement d'une démarche de masse. Cette individualisation de la relation avec le consommateur est basée sur les données collectées durant leur navigation et stockées afin de cibler et personnaliser les échanges. Le site Amazon.com a été l'un des premiers à personnaliser son interface et la relation client en appelant l'internaute par son nom, en lui proposant des recommandations sur le site et *via* e-mail en fonction de son profil et de sa navigation.

Le marketing digital se distingue de l'approche marketing classique par une modification des pouvoirs de l'entreprise et du consommateur, la vitesse des réactions et des transactions, et une meilleure connaissance du consommateur grâce à « l'intelligence » des technologies digitales, permettant une approche de sur-mesure de masse ou *mass customization.* Il s'intègre dans une démarche de marketing relationnel qui représente un ensemble d'outils destinés à établir des relations individualisées et interactives avec les clients en vue de créer et d'entretenir avec eux des attitudes positives et durables à l'égard de l'entreprise ou de la marque (Peelen *et al.*, 2014).

4. Le Web 2.0

La notion de Web 2.0 marque une évolution du Web vers plus de simplicité et d'interactivité (chaque utilisateur peut contribuer). L'expression a été médiatisée en 2004 par Dale Dougherty (O'Reilly Media) lors d'une conférence sur les avancées du Web. Elle marque un changement de paradigme et une évolution des modèles d'entreprise en ligne, soulignant ainsi une renaissance ou une mutation du Web. Le Web 2.0 repose sur des technologies permettant de placer l'internaute au centre des processus de création et de partage de l'information à travers un lien social établi. Il recouvre au moins trois réalités :

– L'internaute devient contributeur (*user generated content*) à travers les blogs, les réseaux sociaux ou les wikis. Ce contenu généré par l'utilisateur se base sur la notion de *crowdsourcing* (la foule fournit les contenus).

– Il y a une amélioration du confort de l'utilisateur grâce aux interfaces Web dites riches (*rich media*).

– On assiste à l'intégration de services en ligne tiers au sein de nouvelles applications Web (par exemple un portail qui affiche des flux RSS ou un service de cartographie combiné avec des informations géolocalisées).

L'expression Web 2.0 marque le symbole d'un « nouveau » Web, collaboratif et participatif. Certains experts parlent aujourd'hui du Web 3.0 comme du futur du Web, un Web sémantique (ensemble de technologies visant à rendre le contenu des ressources du Web accessible et utilisable par les programmes et les logiciels) et/ou un Internet des objets (extension d'Internet à des choses et à des lieux dans le monde réel grâce à des étiquettes munies de *QR codes* (*quick response code*), de puces RFID… qui pourront être lus par des dispositifs mobiles sans fil et qui favoriseront le développement de la réalité augmentée). Les développements actuels des objets connectés ouvrent la voie au développement du Web 3.0.

II La stratégie marketing digitale

La formulation d'une stratégie marketing digitale suppose de définir la manière selon laquelle le marketing digital va supporter l'atteinte des objectifs de l'entreprise et notamment ceux du marketing. Les décisions stratégiques en matière de marketing sur Internet sont similaires et complémentaires aux décisions de marketing stratégique pour les entreprises dans le monde physique. Il est nécessaire, dans un premier temps, de déterminer les forces et faiblesses de l'entreprise et d'identifier les opportunités et menaces du marché, de l'environnement et de la concurrence sous forme d'une analyse – diagnostic SWOT. Par la suite, il est nécessaire de segmenter le marché en fonction de critères de segmentations pertinents par rapport à l'activité de l'entreprise, de sélectionner ensuite des groupes de consommateurs cibles et de définir enfin comment leur délivrer une proposition de valeur en déterminant le positionnement de l'entreprise et de ses produits et/ou services. Par ailleurs, définir l'intégration et les interactions entre les canaux digitaux et traditionnels dans une stratégie marketing multicanal/crosscanal est également un élément important. La rédaction d'un business modèle est un outil intéressant pour aider un site Internet à élaborer sa stratégie marketing digitale.

1. Les e-business modèles

Un business modèle défini de manière synthétique la manière dont une entreprise identifie son offre de produits et de services à valeur ajoutée, cible ses clients et génère des revenus.

■ Les cibles marketing

Un aspect fondamental du business modèle est de savoir si l'entreprise cible en priorité le consommateur final (BtoC, *Business to Consumer*) comme c'est le cas pour les sites de la Fnac ou de Lastminute.fr ou bien si elle s'adresse en priorité à d'autres entreprises (BtoB, *business to business*) tel que le fait le site de Dell.com ou de Manutan.fr. Les sites BtoC disposant d'un trafic important (Cdiscount, PriceMinister/Rakuten, Amazon...) cherchent à monétiser ce trafic (17 millions de visiteurs uniques par mois en France pour Amazon par exemple) en permettant à d'autres sites marchands de proposer leurs offres aux consommateurs par le biais d'une *marketplace* (place de marché électronique) ; il s'agit pour ces sites d'une activité BtoBtoC. Au-delà de cette simple distinction BtoB ou BtoC, Internet a favorisé l'apparition d'autres business modèles. Les échanges entre consommateurs (CtoC, *customer to customer*) se sont ainsi considérablement développés avec la mise en place de plateformes telles que celles d'eBay.com, de Priceminister.com ou du site Leboncoin.com. De la même manière, il est également possible pour les consommateurs de se regrouper *via* l'intermédiaire d'un site Internet afin de bénéficier d'offres intéressantes de la part d'entreprises ou de faire remonter à une entreprise des feedbacks (CtoB, *customer to business*). Les sites Bernardtapie.com ou Groupon.fr relèvent de cette logique. Il est à noter que ces cibles marketing des entreprises *online* ne sont pas exclusives les unes par rapport aux autres. Le site de Dell, même s'il cible en majorité les entreprises, s'adresse également au consommateur final qui peut acheter sur celui-ci un ordinateur personnalisé (BtoC). Afin de continuer dans cette logique distinctive, il est possible de mentionner ici que le gouvernement et les services publics délivrent également des e-services. On retrouve donc des services gouvernementaux à destination du consommateur (GtoC, *government to consumer*) comme le site ServicePublic.fr ou à destination des entreprises (GtoB, *government to business*), leur permettant par exemple de déclarer et régler la TVA en ligne sur le site Impots.gouv.fr.

Les sources de revenus

Il existe différents types de sources de revenus pour un site. Les modèles traditionnels (1 à 3) sont basés sur une activité de vente ou de revente et sont donc clairement transactionnels. En complément de ces sources de revenus traditionnelles, les médias digitaux ont permis l'apparition de sources alternatives (4 à 7). Elles reposent sur la mise en relation entre cibles et annonceurs (publicité, sponsoring) ou entre acheteurs et vendeurs (affiliation, revente d'adresses e-mail) :

1. Les revenus provenant de la *vente directe* de produits ou de services ou de la *revente par des intermédiaires* prenant une commission. Les sites Cdiscount.com, AccorHotels.com ou eBay.com entrent dans cette catégorie.
2. Les revenus provenant de la *souscription d'accès à du contenu* (accès à des documents pendant un temps déterminé, par exemple les archives d'un journal. Le site du *Financial Times* (FT.com) permet un accès « standard » et « premium » au contenu en ligne moyennant un abonnement hebdomadaire.
3. Les revenus provenant d'un *paiement à l'usage* (*pay-per-view*) d'un contenu (accès unique à un document, vidéo ou musique qui peut être téléchargé et protégé par un mot de passe). Par exemple, sur le site de vidéo à la demande de TF1 (mytf1vod.tf1.fr), il est possible de louer un film ou une série pour un visionnage dans un temps limité.

4. Les revenus provenant de la *publicité sur le site*. Des bannières (*display*) ou des liens promotionnels sont positionnés sur le site. L'importance de ces revenus repose sur la capacité du site à générer un nombre important de visites. Les revenus sont calculés au CPM (coût pour mille impressions de bannières) ou au CPC (coût par clic, provenant de l'achat de mots clés auprès de moteurs de recherche).
5. Les revenus provenant du *sponsoring* du site ou de parties du site. Il est possible, lors du lancement d'un nouveau produit, de sponsoriser un site en entier, une rubrique ou une page déterminée. Le montant de la transaction s'évalue par un montant fixe, au CPC ou au CPA (coût par acquisition). Il est également possible de conclure un arrangement réciproque par un sponsoring croisé entre les deux sites.
6. Les revenus provenant de l'*affiliation*. Il s'agit d'une commission payée par l'affileur à l'affilié en contrepartie d'une action déterminée (CPA ou CPC).
7. Les revenus provenant de la *revente d'adresses e-mails*. Un site peut revendre à d'autres sites des informations marketing sur ses clients ou visiteurs. Il peut notamment vendre des adresses e-mail qualifiées (en fonction du profil du consommateur), à condition que ceux-ci lui en aient donné l'autorisation (*opt-in*).

2. Les différentes formes de présence *online*

Il existe pour une entreprise ou une organisation différentes formes de présence *online*. Il ne s'agit pas de formes de présence *online* exclusives les unes par rapport aux autres mais plutôt de formes qui peuvent être choisies par rapport aux objectifs fixés et des marchés auxquels s'adresse l'entreprise. Il est également possible de combiner différentes formes de présence en ligne en fonction de l'e-business modèle retenu. Dave Chaffey (2014) identifie cinq types de sites Internet :

– Le *site transactionnel* supporte une activité de vente de produits ou de services. L'objectif du site est de générer des revenus à partir de cette activité. Le site fournit également des informations pour les consommateurs préférant acheter ou retirer leur marchandise en magasin (Fnac.com…).

– Le *site relationnel* fournit des informations aux prospects ou aux clients afin de stimuler des achats *offline* et de construire une relation avec ces derniers. L'objectif du site est d'ajouter de la valeur pour les clients actuels par les informations transmises et de répondre aux demandes de clients potentiels (Accenture.com, Engie.com, Dan-on.com...).

– Le *site expérientiel* propose une expérience de la marque en ligne. Il a pour but d'améliorer le capital de marque. Les produits peuvent éventuellement être disponibles à la vente sur le site (Mymms.fr...).

– Le *site portail ou média* fournit des informations sur un large éventail de sujets et renvoyant vers un grand nombre de sites. Les sites portail ont plusieurs options pour générer des revenus : publicité, commissions sur les ventes, vente de données consommateurs (Msn.com...).

– Le *site réseau social ou site communautaire* a pour vocation de favoriser les interactions communautaires entre consommateurs (les interactions type sont : poster et répondre à des commentaires, envoyer des messages, marquer du contenu...). On retrouve dans cette catégorie des sites grand public (Facebook, LinkedIn, Flickr...). Certaines entreprises ont également développé leur propre réseau social interne (Total, Décathlon...).

3. La création de valeur en ligne

La manière dont une entreprise crée de la valeur avec ses marchés (consommateurs, fournisseurs, grossistes, détaillants...) est un élément fondamental de son succès. Les technologies digitales ont un rôle dans la modification de l'importance des différents éléments composant la création de valeur. La valeur délivrée est dépendante de la différence entre les bénéfices consommateurs délivrés par l'entreprise (bénéfices tangibles et intangibles) et les coûts supportés pour produire et fournir cette valeur. Les plus grandes forces d'Internet sont de pouvoir réduire les intermédiaires en supprimant par exemple les magasins physiques et de modifier les bénéfices intangibles (expérience d'achat *online*). Ces deux éléments combinés contribuent à former la proposition de valeur en ligne.

La chaîne de valeur de Porter (concept introduit par Michael Porter en 1986) permet de déterminer comment chaque activité contribue à la création d'un avantage compétitif et d'évaluer les coûts qu'occasionnent ces différentes activités. Elle comprend neuf activités. Les activités primaires regroupent :

– les approvisionnements (réception, stock et distribution des matières premières) ;

– la fabrication (transformation des matières premières en produits finis) ;

– la commercialisation (collecte, stock et distribution des produits finis au client) ;

– le marketing et la vente (permettent au consommateur de connaître et d'acheter le produit fini) ;

– les services (regroupent tout ce qui permet d'augmenter et de maintenir la valeur du produit (installation, réparation...).

Les activités support comprennent :

– les infrastructures de l'entreprise (tous les services nécessaires à une entreprise, administration, finances, contrôle de la qualité, planification...) ;

– la gestion des ressources humaines ;

– la recherche et développement (savoir-faire, innovation...) ;

– les achats.

La valeur peut être créée en réduisant les coûts de délivrance des produits ou services au consommateur et en ajoutant des bénéfices consommateur au niveau de chaque élément de la chaîne de valeur (tels que les approvisionnements, la fabrication, la vente et la distribution). La valeur peut également être créée à l'interface de chaque élément de la chaîne de valeur (comme entre la vente et la distribution...).

Les activités de la chaîne de valeur impliquant la création, le traitement et la communication d'informations, les technologies de l'information ont une influence certaine sur cette dernière. Grâce à Internet, de la valeur peut donc être créée par la collecte, la sélection, la synthèse et la distribution d'informations. Par exemple, si un détaillant partage de l'information de manière électronique avec ses fournisseurs concernant la demande de ses produits (*via* l'EDI, *electronic data interchange*), cela permet d'améliorer la chaîne de valeur des deux parties étant donné que le cycle de commande peut être réduit, entraînant un niveau de stock plus faible et donc des coûts plus faibles pour les deux parties. Les exemples les plus évidents de création de valeur proviennent directement de la gestion de l'interface entre le site Web et le consommateur: information détaillée sur les produits ou services, guides de sélection, recommandations personnalisées, service consommateur en ligne... qui permettent de réduire les coûts pour servir le consommateur et ajoutent des bénéfices intangibles pour le consommateur (recommandations, diminution du temps d'achat...). Cependant, si le site est trop complexe, l'information difficile à trouver ou si des problèmes techniques interrompent l'accès aux données ou le déroulement de la transaction, la valeur peut être diminuée.

En conclusion, afin d'élaborer la stratégie marketing digitale d'une entreprise, il convient de se poser un certain nombre de questions:

– Quelle est la cible visée? Le consommateur final, d'autres entreprises ou un mix des deux?

– Quels sont les modèles de revenus qui vont générer le chiffre d'affaires du site?

– À quel niveau est positionné le site dans la chaîne de valeur entre les consommateurs et les fournisseurs?

– Quelle est la proposition de valeur du site?

– Quel est le degré de présence de l'entreprise dans le monde physique et sur Internet (*click and mortar*, *pure player*)?

CHAPITRE 2

La politique produit sur Internet

Les spécificités d'Internet et des technologies digitales précédemment identifiées (interactivité, connaissance consommateur et individualisation) ont une influence sur la variable « produit » du marketing mix ; cette variable comprend les décisions marketing relatives aux caractéristiques du produit et/ou du service et de la marque. Internet permet à une entreprise de mieux connaître ses clients et prospects et d'obtenir rapidement des informations sur leurs préférences afin de leur proposer une relation individualisée et des produits ou services personnalisés. Par ailleurs, le consommateur peut directement être impliqué dans le processus de développement d'un produit et/ou redévelopper des aspects de celui-ci afin qu'il réponde mieux à ses besoins individuels et ses préférences. En retour, l'entreprise peut espérer que le consommateur sera plus fidèle car il aura investi du temps et des efforts pour personnaliser.

I Les types de produits en ligne

Internet a permis l'apparition de nouveaux types de produits et de services mais il a également permis d'offrir des caractéristiques additionnelles aux produits et services existants. Même les entreprises qui ne vendent pas des produits ou des services en ligne peuvent tirer parti d'Internet en proposant des informations et/ou une expérience en ligne à leurs consommateurs (produits alimentaires...). Un produit peut être défini comme quelque chose créé dans le but d'une transaction. Le produit satisfait les besoins et désirs spécifiques de l'acheteur et fournit au vendeur un revenu (actuel ou futur). Il comprend un produit/service de base et d'autres attributs ou caractéristiques qui augmentent la valeur perçue du celui-ci. Les décisions en matière de politique produit sur Internet peuvent donc influencer le produit/service de base et/ou le produit/service « augmenté ».

1. Le produit de base

Le produit de base est celui qui est acheté par le consommateur et qui répond à ses besoins. Internet a un impact différent sur le produit de base en fonction de sa nature: produit digital, produit physique ou service.

■ Les produits digitaux

Les produits digitaux (musique, logiciels, livres, journaux, magazines, films...) peuvent profiter au maximum des propriétés d'Internet liées aux possibilités de dématérialisation du support (disque, DVD, livre papier...). Ces types de produits sont facilement reproductibles, transférables et ne sont pas détruits ou usés lors de la consommation. Il est donc possible d'offrir, en ligne et de manière digitale, le bénéfice clé de ces produits. Par exemple, le site iTunes store d'Apple permet de télécharger de la musique, des films et des livres qu'il est possible ensuite de consommer sur un ordinateur, un smartphone ou une tablette tactile. Le site Deezer.com, quant à lui, permet d'écouter de la musique en ligne de manière illimitée en étant connecté à Internet. Afin de faciliter le choix du consommateur, le site peut également fournir en ligne un échantillon gratuit du produit (extrait musical, possibilité de feuilleter les premières pages d'un ouvrage...), un accès gratuit limité dans le temps et/ou à certaines fonctionnalités (logiciel...) ou un mélange d'accès gratuit et payant au contenu (journal en ligne...).

■ Les produits « physiques »

Internet représente pour les produits physiques un levier marketing intéressant. En effet, il permet de diffuser de l'information sur les produits mais aussi de faciliter leur échange grâce à la vente en ligne *via* des détaillants, des grossistes ou d'autres formes de distribution comme les sites d'enchères en ligne ou les places de marché électroniques (*marketplace*). Une grande partie de l'activité commerciale sur Internet se compose de détaillants ou de distributeurs BtoB vendant *online* le même genre de produits que ceux qu'ils vendent *offline*. Internet est donc, pour les produits physiques, qu'un canal de distribution additionnel. Pour les entreprises de vente à distance, la transition vers Internet implique une simple extension de leur modèle d'affaires afin d'englober leurs opérations en ligne. En général, les meilleurs sites offrent un service « augmenté » facilitant l'achat du produit (facilité de l'achat en ligne, possibilités de comparaison, moteur de recherche interne performant...), contribuant ainsi à augmenter la valeur perçue de cet achat.

Les services

Les services se différentient des produits généralement sur quatre points : les services sont intangibles ; la production et la consommation des services se déroulent simultanément ; les services ne sont pas stockables ; enfin la perception de leur qualité est hétérogène (elle varie entre consommateurs et pour un même consommateur recevant le même service dans des situations différentes). Les services qui reposent sur des informations stockées et qui peuvent être décomposés en interactions bien structurées et automatisées peuvent facilement être fournis sur Internet. C'est le cas notamment de la réservation et de l'achat de voyages en ligne où la valeur ajoutée d'un agent de voyage par rapport à un site automatisé pour une demande basique (horaires, tarifs...) reste limitée. La compétence humaine reprend cependant le dessus dans le cas de demandes complexes (voyages sur mesure...). Par ailleurs, Internet peut contribuer à réduire l'intangibilité des services. Ainsi, en proposant, des visites virtuelles ou des vidéos il est possible de fournir des éléments concrets de ce que va obtenir le consommateur avant de faire l'acquisition du service. Enfin, du fait de la standardisation d'Internet, le service offert au client, sauf cas exceptionnel ou problème technique, ne varie pas d'une prestation à l'autre. Il peut être proposé à un grand nombre de clients simultanément, permettant ainsi de réduire l'hétérogénéité du service, d'atténuer l'inséparabilité de la production et de la consommation, et l'impossibilité de stocker les services.

2. Le produit « augmenté »

Le produit « augmenté » fait référence aux bénéfices et services additionnels qui sont proposés autour du produit de base. Internet est particulièrement performant pour l'amélioration du produit ou service de base par des services supplémentaires tels que :

– le support avant-vente (comparaison de prix, guides d'achat, vidéo de démonstration, visualisation 3D recommandations, e-mails de notification, choix des modalités de paiement et de livraison...) ;

– le service après-vente (suivi de la livraison en ligne, e-mails d'alerte concernant l'entretien et les révisions des produits achetés, prise de rendez-vous en ligne, SAV en ligne, téléchargement de mises à jour...) ;

– le service consommateur (programme de fidélisation, gestion des réclamations en ligne, FAQ, utilisation d'agents virtuels intelligents ou AVI...). Internet permet à une entreprise d'interagir rapidement, de manière efficace et moins coûteuse avec le consommateur par rapport aux autres canaux de service consommateur (face-à-face, téléphone...).

Le produit « augmenté » permet à une entreprise de différentier son offre de celle de ses concurrents. Il permet également de délivrer, à moindre coût, le bénéfice consommateur identifié lors de la phase de formulation de la stratégie marketing à travers le ciblage et le positionnement de son offre. La distinction entre produit « de base » et produit « augmenté » varie en fonction de l'évolution des attentes des consommateurs et du marché. Un produit « augmenté » peut devenir avec le temps « de base » pour la majorité des consommateurs (par exemple, le suivi de la livraison en ligne) et/ou sur un marché (le configurateur 3D pour les sites automobiles).

II La longue traîne

La théorie de la longue traîne (*long tail*) a été popularisée en 2004 par Chris Anderson, rédacteur en chef du magazine américain *Wired* (Anderson, 2009). En analysant le classement des meilleures ventes d'un site, on observe généralement que le marché est composé de quelques produits vendus en très grand nombre, qui occupent la tête du classement (top des ventes), et d'une multitude d'autres produits vendus en nombre plus limité (traîne). Cependant, ces produits faisant l'objet d'une demande plus faible peuvent, conjointement, représenter une part de marché égale ou supérieure à celle des meilleures ventes. Cela est rendu possible grâce à Internet qui permet à un site de proposer beaucoup plus de choix qu'un magasin traditionnel et offre des moyens pour le mettre en avant. Par exemple, le site Amazon.com réalise 50 % de ses ventes sur les 130 000 premières références du site.

Afin d'illustrer sa théorie, Chris Anderson développe des exemples basés sur des produits culturels (musique, films, livres…) qui peuvent être, pour certains, dématérialisés. Sur Amazon.com, la somme des ventes pour les articles peu demandés dépasse la demande totale des articles très demandés. La rentabilité d'un site intégrant cette stratégie est donc améliorée grâce aux technologies digitales qui permettent une baisse des coûts de production, de stockage, de distribution, d'acquisition client et de communication.

Afin de déterminer si un site peut ou non baser sa stratégie sur la longue traîne, il est nécessaire d'examiner les coûts liés au stockage et à la distribution des produits. Si stocker et distribuer les produits coûte cher à l'entreprise, alors il est préférable de se focaliser sur les meilleures ventes. En revanche, si ces coûts sont faibles, une stratégie se focalisant sur les produits peu demandés devient rentable. Le nombre de livres en vente sur Amazon est 57 fois plus important que ceux vendus dans une librairie indépendante et 40 % des ventes du site proviennent de l'achat de ces livres moins populaires qui ne peuvent pas être stockés dans une librairie traditionnelle indépendante. De plus, sur Internet, le coût de distribution d'un produit est le même que celui-ci fasse partie du top des ventes ou des produits les moins demandés.

La prospection et le ciblage de consommateurs à la recherche d'un produit ou d'une information spécifique sont rendus plus faciles grâce à Internet (moteurs de recherche, forums, communautés en ligne, e-mailing). Il est bien entendu nécessaire pour le site de mettre en place des fonctionnalités permettant de mettre en avant ces produits peu demandés ; les recherches des internautes sont en effet limitées par leur propre connaissance. Amazon met ainsi en avant ces produits en les liants à d'autres produits plus fréquemment demandés (« les internautes ayant acheté ce produit ont également acheté … »).

D'autres sites ont également basé leur business modèle sur cette stratégie de la longue traîne, on peut citer, par exemple, eBay, Google, iTunes, etc. Cependant, comme les marchés sont de plus en plus concentrés, les entreprises préfèrent se focaliser sur la promotion des nouveautés et des biens non amortis plutôt que sur celle de ceux plus anciens qui sont à faible marge. Ainsi, sur un marché, très peu d'entreprises sont capables de gagner de l'argent en exploitant la théorie de la longue traîne. Enfin, tous les secteurs d'activité ne peuvent pas bénéficier de la même manière des avantages liés à la digitalisation, à la dématérialisation et à la distribution en ligne, limitant l'impact de la mise en œuvre de la théorie de la longue traîne.

III Marque et Internet

Une marque est un nom et un ensemble de signes (logo, musique, odeur…) qui certifient l'origine d'un produit ou service, le différencient des produits ou services concurrents et influencent le comportement des consommateurs en suscitant des représentations mentales et un lien émotionnel (Michel, 2009). Une marque est une forme de promesse faite au consommateur. La réalisation de cette promesse contribue à améliorer la valeur du produit ou service, à créer de la confiance, à diminuer le risque perçu et permet au consommateur de réduire le stress lié à l'évaluation des produits concurrents. Réduire le risque perçu est particulièrement important sur Internet à cause des problèmes liés à la sécurité des paiements et au respect de la vie privée dus à l'éloignement géographique entre le consommateur et l'entreprise.

La politique de marque est influencée par les propriétés spécifiques d'Internet. En effet, il est ainsi possible d'implémenter des stratégies de marque qui sont individualisées dans le contenu et dans le temps et qui permettent aux consommateurs d'engager un dialogue avec l'entreprise à travers celle-ci. Par le biais d'Internet, les consommateurs ont donc une meilleure connaissance et une meilleure compréhension des marques qu'ils apprécient. Les marques peuvent diffuser du contenu *online via* leur site, sur des sites partenaires, sur les plateformes de partage de vidéos

(YouTube...) et/ou sur les réseaux sociaux (Facebook...). Elles permettent ainsi à l'internaute de voir et revoir ce contenu, de le partager avec ses amis et/ou de le commenter. De plus, en étant capables d'individualiser leur relation à la marque, les consommateurs peuvent développer une relation personnalisée avec celle-ci. Par exemple, grâce aux possibilités de personnalisation offertes par Internet, il est possible pour le consommateur de développer des produits personnalisés (par exemple *via* le site Nike iD).

Internet influence la communication de marque à plusieurs niveaux :

– Le *moment du message* : En analysant le comportement du consommateur sur son site ou sur des sites partenaires, une marque peut adresser des messages à l'internaute au moment et de la manière la plus appropriée. Par exemple, une publicité pour une location de voiture peut automatiquement être diffusée aux internautes se connectant sur un site de voyage ou de réservation d'hôtel en ligne. La communication paraît ainsi parfaitement synchronisée avec les besoins du consommateur. Internet donne également le contrôle au consommateur sur les interactions avec la marque, lui permettant de choisir à tout moment d'arrêter, de continuer ou d'approfondir les échanges avec celle-ci.

– La *fréquence du message* : Les entreprises peuvent maintenant communiquer avec le consommateur de manière plus fréquente et continue (envoi de newsletters, de messages d'alerte sur le téléphone mobile...). Le coût marginal d'envoi d'un message à un utilisateur supplémentaire est faible, les marques ont donc intérêt à recueillir les coordonnées d'un grand nombre d'internautes, mais aussi et surtout l'autorisation de communiquer avec eux (*opt-in*). Par ailleurs, le faible coût de communication sur Internet implique que les entreprises peuvent (et doivent) continuellement mettre à jour leur contenu en ligne et en informer le consommateur tout en évitant de lui envoyer trop de messages aux risques d'entraîner une saturation de sa part et des associations négatives à la marque.

– Le *contenu du message* : Internet a également un impact sur le style et le contenu du message. Il est ainsi possible, grâce à la généralisation des connexions haut débit de diffuser des messages contenant non seulement du texte et des images mais également du son et de la vidéo, permettant ainsi de faire vivre au consommateur une véritable expérience en ligne. Celui-ci peut également interagir la marque et personnaliser le contenu du message.

IV Le développement de nouveaux produits et Internet

Le développement de nouveaux produits est déterminant pour de nombreuses entreprises afin de maintenir leur position sur le marché. Le processus de développement de nouveaux produits, de par son importance stratégique dans l'entreprise, implique de nombreuses fonctions (R&D, production, achat, marketing, vente, finance...). Afin de permettre à une entreprise de découvrir des opportunités de développement de nouveaux produits pouvant conduire au succès, il est déterminant de se placer dans l'optique client pour analyser le marché en prenant en compte les produits de substitution potentiels et le processus d'achat du consommateur.

Les entreprises peuvent utiliser Internet pour mieux connaître à la fois les besoins individuels et agrégés des consommateurs à travers l'observation des comportements sur le site ou en les interrogeant directement. La connaissance du consommateur commence par son inscription sur le site et se renforce à chacune des interactions et des étapes de la relation client. Baser le développement d'un nouveau produit uniquement sur les informations provenant du consommateur présente toutefois certaines limites. En effet, le comportement présent du consommateur ne donne pas forcément d'indications fiables de son comportement futur. Ainsi, ces informations doivent être combinées avec d'autres sources d'informations.

■ Impact d'Internet sur le processus de développement d'un nouveau produit

Internet a un impact plus ou moins grand sur le processus de développement d'un nouveau produit. Celui-ci comporte généralement sept étapes (Mohammed *et al.*, 2004). Certaines de ces étapes peuvent être sautées ou réduites en fonction du caractère plus ou moins novateur du nouveau produit. À la fin de chaque étape, la décision de continuer le projet, de revenir à une étape précédente ou d'abandonner le projet est prise :

1. *La génération d'idées* : Elle consiste à collecter des idées pour la conception d'un nouveau produit ou l'amélioration d'un produit existant *via* des groupes internes à l'entreprise (R&D, recherche marketing, fabrication, suggestions des employés...) ou externes (*via* les consommateurs). Par exemple, la marque Haribo a lancé une nouvelle bille de couleur bleue pour ses bonbons Dragibus. Cette nouvelle couleur, associée à un nouveau goût répond à la demande formulée par les 850 000 fans de la page de la marque sur Facebook. Grâce aux propriétés d'Internet, les marketeurs peuvent recueillir les idées des consommateurs *via* les mécanismes de réponses prévus sur le site (e-mails, formulaires, avis, votes...) et leurs demandes de personnalisation ou de customisation. Starbucks a ainsi lancé le site Mystarbucksidea.com permettant à n'importe quel internaute de partager ses idées, de noter les idées des autres et d'engager une discussion en ligne.

Les marketeurs peuvent également observer sur Internet les comportements des internautes de manière individuelle (la manière dont il se comporte sur le site) mais aussi collective (en identifiant des modèles de comportements). Ils peuvent aussi suivre les discussions sur les forums et autres communautés en ligne. Néanmoins, les suggestions des consommateurs portent généralement sur des produits existants et des mises à jour et non pas sur de nouveaux produits.

2. *Le filtrage des idées* : Une fois la phase de *brainstorming* terminée, il s'agit maintenant de grouper et de filtrer les idées. Cette étape consiste à passer en revue toutes les idées qui ont émergé dans la phase précédente et de considérer celles qui paraissent les plus intéressantes. Cette phase peut se baser sur un système de scores et être réalisée à l'aide de logiciels si le nombre d'idées à filtrer est important.
3. *Le développement du concept* : Une idée qui a passé la phase de filtrage va être développée sous forme de concept incluant les attentes des consommateurs, la solution apportée par le produit, ses spécifications et son design, son positionnement et sa faisabilité économique.

4. *La conception du produit* : Étant donné le caractère souvent compétitif des marchés, il est important de réduire au maximum les délais de mise sur le marché et donc le temps de conception du produit à travers la modularité. Cette dernière permet à des flux de production parallèles d'agir de façon indépendante et non séquentielle. La *mass customization* repose sur cette notion de production modulaire et flexible.
5. *Le développement du prototype* : Un prototype est un modèle ou une version fonctionnelle du nouveau produit. Le prototype peut être proposé de manière virtuelle grâce aux outils offrant une représentation en 3D du produit et dans son environnement réel *via* la réalité augmentée. De plus, la création d'un prototype physique peut être repoussée jusqu'au dernier moment, quand le produit est plus complet et moins sujet à des changements, ce qui diminue encore davantage les coûts de développement. L'impression 3D de prototypes est aujourd'hui possible, permettant d'envisager plusieurs version à moindre coût. Les moyens de communication et de représentation virtuelle permettent également de réduire certaines barrières entre la R&D, le marketing et les ventes. Ils offrent une véritable coopération dans le processus de développement du produit en favorisant les échanges et la collaboration entre des équipes de développement qui peuvent être basées dans des pays différents. En effet, les équipes peuvent utiliser l'intranet et l'extranet de l'entreprise pour intégrer des tâches, synchroniser des changements et incorporer les feedbacks des consommateurs et du marché.
6. *Le test marketing* : Cette étape consiste à réaliser une expérimentation à petite échelle de l'introduction du produit sur son marché, soutenu par un marketing mix adapté. Ainsi de nombreuses variables marketing sont contrôlées, mesurées et manipulées afin d'identifier le marketing mix adapté pour une diffusion à grande échelle. Grâce à Internet, il est possible pour les entreprises d'évaluer différentes versions du produit en conduisant des expérimentations en ligne. Par exemple, si trois versions différentes du produit sont considérées par l'entreprise, il est possible de les présenter de manière aléatoire aux consommateurs sur le site et

d'évaluer leurs réactions grâce à l'analyse de trafic (*clickstream analysis*) et donc estimer le potentiel de performance de chaque produit.

7. *La commercialisation*: il s'agit de l'étape finale dans le développement d'un nouveau produit. Elle inclut la planification pour le lancement du produit et son déploiement.

Internet a introduit un nouveau niveau de flexibilité dans le processus de développement d'un nouveau produit. Le développement de produits flexibles est basé sur la production simultanée et une approche modulaire, ce qui permet de retarder jusqu'au dernier moment la prise de décision concernant la configuration finale. Grâce à Internet, le processus rationalisé de développement d'un nouveau produit rend le passage d'une étape à l'autre moins formelle et moins structurée que dans le processus de développement classique.

La rigueur avec laquelle les analyses sont effectuées à chaque étape doit être mise en perspective avec le niveau de risques auquel est confrontée l'entreprise, la tolérance du management à la prise de risque et les attentes du marché. En d'autres termes, une entreprise en ligne sans une marque connue, sans une base client déjà constituée et avec un besoin important de revenus devrait introduire très tôt sur le marché une version bêta de son offre et poursuivre ensuite un effort continu de développement.

Internet a particulièrement affecté le processus de développement d'un nouveau produit à trois niveaux: la génération des idées grâce à l'amélioration continue par le consommateur, le développement du produit grâce aux outils informatiques et de communication et l'expérimentation/test du produit grâce à la conception assistée par ordinateur, les simulations informatiques et l'impression 3D. De tels outils permettent de diminuer les coûts de développement au début du processus en créant des produits virtuels, des visites virtuelles pour les clients potentiels et les prototypes à moindre coût. Internet peut être utilisé, par ailleurs, pour accélérer le processus de développement. L'entreprise peut solliciter ses consommateurs pour tester des variantes rapidement et à un coût plus faible qu'en passant par un cabinet d'études de marché. Elle peut également associer le consommateur au processus de création du produit *via* la co-création.

L'impression 3D : du prototypage rapide à la fabrication d'objets personnalisés en masse et à la demande

L'impression 3D, ou impression additive, a initialement été utilisée afin de réaliser des prototypages rapides. Cette finalité représente encore aujourd'hui une partie importante de l'activité d'impression 3D (70 % d'après McKinsey). Une conception 3D du prototype est d'abord réalisée à l'aide d'un logiciel de Conception Assistée par Ordinateur (CAO). Ensuite, le fichier 3D obtenu est envoyé vers une imprimante 3D qui le découpe en tranches et dépose ou solidifie de la matière, couche par couche, afin d'obtenir le prototype final. Une panoplie de matériaux peut être utilisée pour réaliser ces prototypes : plastique (ABS), cire, métal, plâtre, sable, céramiques...

Au-delà du simple prototypage, l'impression 3D est bien entendu utilisée aujourd'hui pour fabriquer de nombreux objets réels et fonctionnels. Ainsi, il est possible de produire à la demande des pièces automobiles, des pièces pour l'aéronautique, des bâtiments, des prothèses, implants ou exosquelettes dans le domaine médical (demain nous pourrons sans doute imprimer des organes et des cellules humaines viables) mais aussi des produits de consommation (coques de téléphones portables, figurines, produits alimentaires...). Des scanners 3D, utilisables à partir d'un simple smartphone, permettent d'obtenir un modèle numérique d'un objet qu'il est possible ensuite d'imprimer en 3D. L'impression 3D permet une personnalisation en masse et une production à la demande. Elle redonne du pouvoir au consommateur (consom'acteur) en lui permettant d'imprimer (via un *Fab Lab* ou chez un distributeur par exemple) une pièce de rechange pour ses appareils ménagers dont la durée de vie est de plus en courte ; il peut donc lutter ainsi contre l'obsolescence programmée.

La technologie d'impression 3D n'est pas nouvelle, cependant, l'apparition dans le commerce d'imprimantes 3D de petite taille et à prix abordable, risque de contribuer à démocratiser cette technologie auprès du grand public, soulevant au passage des questions liées au respect du droit de la propriété intellectuelle. Certains voient dans ce procédé le cœur de la troisième révolution industrielle.

Source : Direction des études de l'INPI, 2014

V La personnalisation en ligne

La personnalisation en ligne repose, pour un site, sur son aptitude à reconnaître un consommateur et à lui offrir des produits et/ou services, et même un parcours d'achat individualisé. Il est même possible pour le site de proposer à l'internaute un univers de vente spécifique et personnalisé mettant en avant les produits ou catégories de produits qui l'intéressent. Cette personnalisation de l'espace de vente peut être renforcée par des conseils d'achat personnalisés. La personnalisation joue un rôle important dans la fidélisation des clients en améliorant la facilité d'accès au produit et en diminuant les risques d'abandon de panier ou l'achat de produits de substitution. De plus, l'amélioration du confort d'achat permet d'augmenter les chances de réachat en améliorant les réponses aux besoins des consommateurs *via* une expérience personnalisée sur le site, des conseils et un accès à un univers de vente individualisé.

1. Internet : un terrain fertile pour la personnalisation

Les propriétés d'Internet en font une interface de contact avec le consommateur et un terrain privilégié pour la remontée d'informations. La collecte de ces informations implique la participation plus ou moins consciente et volontaire de l'internaute. Ces informations permettent ainsi à l'entreprise de mieux connaître ses consommateurs et de mieux répondre à leurs besoins en instaurant une relation personnalisée.

■ Personnalisation à l'initiative du site

Les sites qui nécessitent de s'enregistrer pour être utilisés peuvent reconnaître le consommateur lorsqu'il revient sur le site et personnaliser l'affichage des pages en fonction de ses préférences. De plus, lors de l'inscription de l'internaute ou lors de visites postérieures, il est possible pour l'entreprise de demander au consommateur de renseigner certaines informations en complétant un formulaire en ligne. Cela permet à l'entreprise d'affiner sa connaissance du profil de celui-ci. Il s'agit ici de trouver un juste équilibre entre les informations nécessaires à la réalisation de la transaction ou la bonne connaissance du consommateur et une intrusion importante dans sa vie privée. Par ailleurs, à travers l'analyse des fichiers *log* (fichiers textes stockés sur le serveur Web de l'entreprise enregistrant de manière chronologique chaque interaction entre l'internaute et le site), un site peut suivre et analyser le comportement de l'internaute (parcours sur le site, provenance, nombre de pages vues, temps par page…). Cette analyse permet à une entreprise d'avoir une connaissance plus approfondie du comportement du consommateur sur le site et d'interagir avec ce dernier en lui proposant un contenu individualisé. Même si l'internaute n'est pas enregistré, le site peut suivre sa navigation à l'aide de *cookies* (fichier informatique, stocké sur le disque dur de l'internaute et qui identifie l'ordinateur de manière unique). Le site peut également compléter cette connaissance du consommateur à travers les informations que celui-ci va générer à l'aide de son smartphone s'il utilise l'application que le site peut avoir développé (données de géolocalisation…) et ainsi lui envoyer une communication personnalisée et ciblée en fonction de l'endroit où il se trouve (dans la rue, dans le magasin si le site est *click and mortar*).

Cette connaissance approfondie du comportement du consommateur en ligne augmente considérablement la capacité d'une entreprise à développer des produits basés sur les intérêts et les préférences de ses clients. Ces informations sont particulièrement intéressantes lorsqu'il s'agit de développer des services supplémentaires associés au produit de base. Amazon.com améliore ainsi continuellement ses modèles prédictifs du comportement de l'internaute, modèles basés sur les données agrégées de tous les internautes se rendant sur le site. Ces modèles permettent à Amazon d'être mieux à même de recommander des livres et des produits complémentaires qui correspondent le mieux aux préférences de chaque individu.

■ Personnalisation à l'initiative du consommateur

Internet a également permis l'avènement d'outils de personnalisation permettant aux clients de spécifier les caractéristiques d'un produit afin de mieux répondre à leurs besoins et préférences. Ainsi, un client qui interagit avec un site peut personnaliser les services associés au produit ou service vendu en fonction de ses préférences personnelles. De nombreux sites offrent aux internautes des fonctionnalités permettant de personnaliser l'interface afin de leur donner envie de revenir sur le site et augmenter leur fidélité. Les sites de type « infomédiaire » (entreprise qui intègre, agrège ou transforme l'information en connaissance) conçoivent des attributs spécifiques de leur produit/service en fonction des préférences du consommateur et les intègrent dans leurs offres. Par exemple, les internautes peuvent spécifier le type d'informations qu'ils veulent recevoir et comment ils souhaitent la recevoir (*via* e-mail, sur une page personnalisée, sur un smartphone *via* notification *push*...). De la même manière, l'internaute peut contrôler la fréquence d'envoi et le format de réception des messages (texte ou HTML). La valeur délivrée par ce type de sites ne se limite pas à l'information mais englobe l'amélioration de l'utilisabilité du contenu qu'ils offrent.

En personnalisant l'interface à travers les différentes options proposées (organisation de la page, couleurs, rubriques...), l'internaute s'investit dans une relation d'apprentissage progressive avec le site qui est plus ou moins consciente. Cet investissement est source d'une meilleure satisfaction pour le consommateur et prend différentes formes (Peppers et Rogers, 2000) :

– l'*investissement déclaratif* via *un formulaire* (par exemple, le choix des rubriques afin de recevoir une newsletter d'information ou la mémorisation de sa liste de courses sur le site d'un cybermarché) ;

– l'*investissement progressif d'usage*, lié à l'usage répétitif d'un site et de ses services grâce à la mémorisation des actions ou transactions précédentes effectuées par l'internaute (mémorisation de l'adresse, des préférences de livraison et des coordonnées bancaires permettant une commande future en un clic...) ;

– l'*investissement d'appropriation technique de l'interface du site* (utilisation des fonctionnalités avancées...) : ces divers éléments contribuent à renforcer les barrières psychologiques à la sortie pour l'internaute et à augmenter sa fidélité. Il est nécessaire pour le site de trouver un juste équilibre entre le niveau de personnalisation offert à l'internaute et l'investissement qui lui est demandé (temps et informations transmises).

La personnalisation peut parfois être perçue comme une intrusion. Même initiée par le consommateur, elle suppose qu'il accepte de confier ses données personnelles à la marque. Afin de rassurer le consommateur, elle doit mettre en place des éléments susceptibles de renforcer sa confiance (politique de confidentialité...).

2. Les différentes formes de personnalisation

■ La personnalisation de l'interface et de la relation commerciale

Ce type de personnalisation offre à l'internaute un sentiment de reconnaissance individuelle et un rapprochement avec l'entreprise permettant d'atténuer la froideur perçue d'Internet. L'expérience de navigation est ainsi plus agréable et plus rapide, facilitant l'accès à l'offre.

En se basant sur les informations transmises par le consommateur (formulaires, identifiants) mais aussi sur les informations enregistrées à son insu (*via* les *cookies*), le site peut individualiser l'accueil et l'interface qui sont proposés à l'internaute. Proposer un environnement de navigation familier et personnalisé permet en outre de contribuer à fidéliser l'internaute. Le site Amazon.com, mais également de nombreux autres sites, permettent à l'internaute, une fois identifié, d'accéder à une page d'accueil personnalisée (« chez vous »). Le site va également plus loin en ne présentant à l'internaute que les informations et/ou les rubriques qui l'intéressent permettant une meilleure clarté de l'offre et un accès aisé à l'information pertinente pour celui-ci.

Il est également possible pour un site de proposer à l'internaute un espace virtuel personnel lui permettant, par exemple, de mémoriser des articles qu'il souhaiterait acquérir dans le futur ou se les faire offrir. Ainsi le site d'Ikea propose une rubrique « Ma liste d'achat » qui permet à l'internaute de préparer et mémoriser la liste d'articles qu'il souhaite acheter sur le site et/ou en magasin. Ce site propose également un outil de conception 3D permettant à l'internaute d'être son propre architecte d'intérieur et de choisir un ameublement parfaitement adapté aux dimensions de son logement. Parmi les limites de ces possibilités de personnalisation, il est possible de mentionner l'éventuelle complexité du système, le refus potentiel de l'internaute à transmettre les informations permettant cette personnalisation ou la réduction abusive de l'offre perçue par l'internaute si cette technique est trop poussée.

Du fait des propriétés d'Internet, cette personnalisation est possible sur le site mais elle peut également être complétée par la personnalisation de la relation hors du site et à destination des prospects ou des clients de l'entreprise. Cela se matérialise à travers des opérations de publipostages électroniques personnalisées de type « *one-to-one* », rendues possibles grâce à la souplesse et aux coûts limités d'une telle personnalisation sur Internet. En effet, la personnalisation est possible non seulement au niveau de la forme de l'offre (nom, titre, comme cela est généralement fait dans les courriers des entreprises de vente à distance traditionnelles) mais également au niveau de l'offre commerciale faite au consommateur. Cela se matérialise par l'envoi d'e-mails, de newsletters ou de messages d'alerte personnalisés en fonction des désirs de l'internaute (dans le domaine culturel, des voyages, de l'immobilier...).

■ La personnalisation de l'offre

Afin de personnaliser l'offre qui est proposée à l'internaute, deux techniques peuvent être mobilisées. Elles sont basées sur la personnalisation de l'offre grâce à des suggestions reposant sur la connaissance du profil de l'internaute :

– Le *filtrage collaboratif* (*collaborative filtering*). Cette technique de recommandation d'achat peut être mobilisée lorsque l'offre est relativement abondante (livres, CD, films...). Avant de pouvoir bénéficier des recommandations faites par le site, l'internaute doit étalonner ses goûts en évaluant des livres, films ou disques qu'il a lus, vus ou écoutés. Une fois ses goûts étalonnés, il peut ensuite bénéficier des suggestions faîtes par le site à partir des profils les plus proches et des films, livres ou CD les mieux évalués par ces mêmes profils. Ce système pour être efficace suppose une collaboration de l'internaute (donner son avis) et de bénéficier de l'avis de nombreux autres utilisateurs dans la base de données du site.

– La *gestion des profils* (*profiling*). Cette technique ne repose pas sur une démarche volontaire et consciente de l'internaute. Elle peut être mise en place à son insu. L'objectif est toujours de proposer une offre ou une communication personnalisée de manière dynamique. La navigation et le comportement de l'internaute sont enregistrés par le site dans une base de données afin d'effectuer des comparaisons et des recoupements avec les profils similaires stockés dans la base, permettant ainsi de personnaliser de manière dynamique l'offre présentée à l'internaute en fonction de son profil. Un site pionnier dans la mise en œuvre de cette technique est le site Amazon.com. Il recommande à l'internaute des produits susceptibles de l'intéresser en fonction du produit qui est affiché à l'écran et sur la base des produits achetés par les internautes ayant commandé ce dernier.

La personnalisation dynamique, en temps réel, suppose que l'entreprise dispose des ressources nécessaires à sa mise en œuvre, ce qui requiert des moyens techniques et financiers importants. En effet, il faut que les contenus proposés à l'internaute soient disponibles de façon modulaire et qu'ils puissent être combinés selon des règles de gestion prédéfinies (Issac et Volle, 2011). Ces techniques permettent notamment d'augmenter le panier moyen en favorisant les ventes croisées.

Cette personnalisation de l'offre peut être, dans certains cas, prolongée de manière intéressante en mettant en place une personnalisation du produit, pouvant conduire à un sur-mesure de masse.

■ La personnalisation du produit

Offrir au consommateur la possibilité de personnaliser le produit permet à l'entreprise de mieux répondre à ses besoins, d'améliorer la valeur perçue et de contribuer à le fidéliser. L'augmentation de la valeur perçue du produit peut permettre à l'entreprise une hausse de prix supérieure au surcoût de production engendré par la personnalisation, ce qui peut contribuer à améliorer ses marges. C'est aussi, pour l'entreprise, un moyen de différenciation sur un marché concurrentiel.

Les propriétés d'Internet permettent la mise en place de fonctionnalités et de services associés au processus de personnalisation. L'entreprise peut ainsi avoir accès à une demande de personnalisation plus grande, demande qui est, par nature, géographiquement éclatée, et ainsi centraliser, sur son site, son offre de personnalisation. Par exemple, Nike a lancé, il y a plusieurs années, le site Nike iD qui permet à un internaute de créer et commander sa paire de chaussures personnalisée et de se la faire livrer partout dans le monde. Différents outils permettent la transmission d'éléments de personnalisation, la configuration, la simulation et la visualisation, de manière instantanée et, parfois en 3D, du produit souhaité. Ces éléments rendent ainsi le processus de commande interactif. Par exemple sur le site Mini.fr, il est possible de configurer et de visualiser en 3D sa future Mini Cooper, avec une évolution du prix de vente, en temps réel, au fur et à mesure des choix effectués par l'internaute (motorisation, options, couleurs...). Lorsque le processus de la production est également automatisé, le client, en validant sa commande, devient le donneur d'ordre de la production. Si la chaîne d'approvisionnement de l'entreprise est intégrée, la validation de la commande, par le client, peut également déclencher la demande de réapprovisionnement en matières premières ou en pièces nécessaires à la fabrication du produit chez les fournisseurs partenaires comme c'est le cas pour Dell.com.

Il est parfois difficile pour une entreprise de rentabiliser son activité de personnalisation en ligne. Néanmoins, cela constitue un élément d'amélioration de l'image de marque et peut servir d'outil de relation presse. Il est possible de distinguer trois types de personnalisation du produit :

– *La simple personnalisation* : il s'agit ici d'ajouter au produit des éléments permettant sa personnalisation mais ne modifiant pas sa nature ou ses caractéristiques (ajout de texte, d'images, de photos sur un tee-shirt ou un mug...). À travers l'établissement d'un dialogue interactif avec le client qui transmet à l'entreprise des éléments de personnalisation, l'entreprise personnalise le produit final. L'avantage d'Internet pour ce mode de personnalisation est qu'il permet d'avoir accès à une demande plus importante et offre de nouvelles possibilités en matière de personnalisation (envoi des éléments de personnalisation, visualisation en temps réel, commande en ligne). M&M's a ainsi développé un site Internet (MyMMs.fr) proposant à l'internaute d'ajouter du texte sur les célèbres petites billes chocolatées pour célébrer une occasion particulière ou simplement servir d'outil de communication pour une entreprise.

– *Le sur-mesure modulaire ou l'assemblage à la demande* : il s'agit ici d'un assemblage personnalisé en fonction des désirs du client et des possibilités offertes par l'entreprise. Il n'y a pas de production de pièces ou de composants sur mesure, mais un simple assemblage. Si le nombre de combinaisons possibles est très élevé, cela peut aboutir à un produit unique. La mise en place de ce système de personnalisation suppose la conception d'un configurateur de produit *via* une application informatique répertoriant toutes les informations de production nécessaires à l'assemblage des composants. Le site Dell propose ce type de personnalisation. De même, les sites proposant des produits digitaux, peuvent offrir à l'internaute un sur-mesure modulaire entièrement numérique. Ainsi, il est possible sur le site de l'association américaine du marketing (www.ama.org) de créer sa propre newsletter en fonction de ses centres d'intérêt en choisissant le sujet, le type d'informations, le(s) secteur(s) d'activité(s)... et de recevoir de manière régulière cette information dans sa boîte e-mail.

– *La production à la demande* : la personnalisation de masse (ou *mass customization*) : il s'agit ici d'une véritable production sur-mesure, effectuée à l'aide d'un outil de production numérique flexible ou artisanal. La fabrication de vêtements sur-mesure en ligne (Tailorstore.fr...) mêle à la fois la personnalisation modulaire (boutons, matières, tissus) et une réelle fabrication sur mesure en fonction des mensurations de l'internaute (longueur des manches...). Les exemples de véritable sur-mesure en ligne en BtoC sont relativement rares de par le fait que peu de produits y sont réellement adaptés et que les coûts de ce type de personnalisation sont très élevés, rendant la rentabilité de ces initiatives incertaines. L'impression 3D, dans quelques années, permettra, sans doute, de combler ce retard en offrant au consommateur une personnalisation en masse et une production à la demande de nombreux produits. Bien que moins médiatisés, les exemples de ce type de personnalisation sont plus fréquents en BtoB, Internet offrant, dans ce cadre, un canal de spécification des caractéristiques de la commande adéquat.

Certains exemples d'échecs de la mise en place d'une démarche de sur-mesure en ligne (Levi's...) montrent que ce type de projet n'est pas forcément viable. En effet, la personnalisation n'est pas forcément souhaitée par le consommateur si elle n'apporte pas une réelle dimension supplémentaire (utilité accrue du produit, côté original de l'objet personnalisé...). Il est nécessaire, par ailleurs, de bien intégrer les coûts logistiques et humains associés à une telle initiative (en amont de la production mais aussi en aval pour assurer la livraison, parfois dans le monde entier). Ensuite, fabriquer un produit sur-mesure peut coûter plus cher à l'entreprise qu'un produit de série. Ce surcoût est répercuté sur le prix de vente consommateur et ce dernier sera d'autant plus prêt à le payer que la valeur perçue du produit personnalisée augmente. De même, l'offre de personnalisation peut être perçue comme trop complexe par le consommateur qui se retrouve perdu face à l'étendue des choix possibles, contribuant à rallonger le processus de commande. Enfin, se pose la question pour l'entreprise de la gestion des retours d'un produit personnalisé lorsque celui-ci ne convient pas au client ou s'il s'est trompé. Ces produits personnalisés sont difficilement valorisables par l'entreprise.

Reflect.com (P&G) : un exemple de *mass customization* en BtoC

Procter & Gamble (P&G) a lancé en 1999 le site Reflect.com proposant à l'internaute de concevoir et faire fabriquer sa propre gamme de produits de beauté (shampoing, crème de beauté, rouge à lèvres...). Le site permet de personnaliser le packaging du flacon et le nom mais surtout le contenu en fonction du type de peau et du soin recherché (*via* un questionnaire permettant d'établir un diagnostic et cerner les attentes du consommateur). Plus de 300000 produits différents peuvent ainsi être créés.

Cette initiative représente, jusqu'à aujourd'hui, l'un des exemples les plus importants de *mass customization*, permettant à l'internaute de créer, commander et se faire livrer, en moins de 10 jours, ses produits de beauté sur mesure *via* Internet. En 2004, le site était le deuxième site de beauté en termes de fréquentation avec plus de 1 million de visiteurs uniques par mois. Afin de garantir le succès de ce mode de production, tant sur le plan financier que logistique, P&G a assuré l'intégration des systèmes d'information et de production, permettant une production à l'unité, à la demande, en temps réel et sans surcoût par rapport à un produit de série. La gestion de la chaîne d'approvisionnement (*supply chain management*) a été intégrée : la confirmation de la commande par le client déclenche, en temps réel, l'ordre de production du mélange des composants et la préparation du packaging (flacon et étiquettes personnalisés...). Les commandes sont intégrées dans le système d'informations marketing afin de mettre en place des actions marketing individualisées. Le client peut également mémoriser sur le site les caractéristiques du produit élaboré afin de pouvoir commander plus rapidement lors d'un achat de renouvellement. Cependant, malgré le succès commercial et en termes d'audience de cette expérience, P&G n'a jamais communiqué sur la rentabilité de l'activité et a décidé de fermer le site en juin 2005 en souhaitant donner la priorité à ses grandes marques nationales.

Source : Abc-netmarketing.com

Un des avantages d'Internet est la possibilité de personnalisation, c'est-à-dire la possibilité pour un consommateur de spécifier les attributs et les caractéristiques qu'ils désirent pour un produit physique. Internet permet de grandes améliorations dans l'enregistrement des préférences des clients et permet de les inclure dans le processus de fabrication afin que les produits « de base » et « augmenté » puissent être modifiés dans un délai très court. Internet rend aussi la personnalisation potentiellement possible à une échelle beaucoup plus grande qu'avant, on parle de *mass customization*. Cette possibilité de personnalisation à grande échelle permet d'améliorer la proposition de valeur de certains fabricants. Cependant, pour certaines entreprises, les bénéfices sont lents à venir car la personnalisation est difficile à bien réaliser, de nombreux consommateurs ne la recherchent pas et peu sont prêts à payer pour cela.

CHAPITRE 3

La politique prix sur Internet

Le prix est une des variables composant le marketing mix. Elle fait référence à l'organisation des politiques de prix d'une entreprise qui sont utilisées pour définir la fixation des prix des produits ou services vendus et les modèles de tarification associés. Les modèles de tarification décrivent les différentes formes de paiement proposées telles que l'achat pur et simple, mais aussi les enchères, la location, l'achat en gros ou à crédit. Le prix correspond à la valeur monétaire payée par le consommateur. De manière plus large, il comprend la somme de toutes les autres valeurs (temps, énergie, coûts physiques...) que les consommateurs échangent pour avoir le bénéfice ou l'usage d'un produit ou service. La politique prix est souvent reliée à la politique produit étant donné que le prix est fonction de la gamme de produits et de la situation du produit dans la courbe de cycle de vie.

Internet a une influence sur la variable prix. Il améliore la transparence sur les prix (à la fois pour les acheteurs et les vendeurs qui peuvent facilement connaître les prix des produits concurrents vendus en ligne), entraîne une baisse des prix en ligne et des changements dans les modes de fixation des prix. Internet modifie également la stratégie prix des entreprises en ligne à cause de l'introduction des comparateurs de prix et le développement de stratégies multicanal. De nouvelles approches en matière de prix ont également été rendues possibles et certaines techniques promotionnelles ont trouvé une nouvelle jeunesse en ligne. De plus, de nouveaux modes de paiements ont fait leur apparition afin de répondre aux attentes des différents segments. Enfin la question de la gratuité des services en ligne apparaît de la plus grande importance sur Internet.

I L'impact d'Internet sur les prix

Internet a eu un impact important sur la variable prix pour de nombreux secteurs d'activité. Il a contribué à changer la manière dont les marketeurs utilisent cette variable.

Généralement deux approches ont été adoptées par les entreprises sur Internet. Les start-up ont tenté d'utiliser la stratégie des « prix bas » afin de recruter des consommateurs alors que la plupart des entreprises déjà existantes se sont contentées de transférer leurs prix sur le Web. D'autres entreprises, déjà présentes dans le monde physique, ont mis en œuvre des stratégies de prix différenciées en fixant des prix plus bas sur Internet pour certains de leurs produits. Aujourd'hui, avec le développement des smartphones et l'évolution du comportement des consommateurs, ces stratégies de prix différenciées sont de plus en plus difficiles à maintenir par les distributeurs. En effet, les consommateurs utilisent leurs smartphones pour vérifier les prix alors qu'ils sont en train d'évaluer physiquement le produit en magasin et finissent par l'acheter en ligne si le prix de celui-ci est moins élevé (comportement de *showrooming*).

Certaines entreprises ont développé des nouveaux produits en ligne à un prix inférieur de ceux que l'on peut trouver dans le monde physique. Par exemple, la banque en ligne ING Direct offre à ses clients un compte courant avec une carte bancaire Gold et de nombreux services associés pour 0 euro alors que les banques traditionnelles proposent ces mêmes services moyennant le paiement d'un forfait mensuel de plusieurs dizaines d'euros. Cette stratégie prix est rendue possible par l'utilisation des canaux digitaux qui sont moins coûteux que les canaux physiques traditionnels (agence…). Néanmoins, pratiquer des prix plus bas en ligne ne doit pas impliquer de délivrer au consommateur une qualité de service inférieure car cela risquerait d'entraîner des intentions et/ou des comportements (bouche-à-oreille, revisite et réachat) plus faibles. Amazon a bâti sa marque sur l'étendue de son offre et sa qualité de service tout en proposant des prix compétitifs par rapport à la concurrence.

■ L'amélioration de la transparence sur les prix

Sur Internet, la connaissance des prix par les consommateurs est améliorée grâce à une meilleure information sur les prix. Ainsi, Internet a permis de décloisonner le marché. Un consommateur peut comparer plus facilement et en plus grand nombre les offres proposées. L'entreprise peut, quant à elle, utiliser la technologie afin de différencier ses prix – c'est-à-dire proposer des produits similaires à des prix différents en fonction des consommateurs, des marchés ou des situations d'achat (par exemple dans le secteur du voyage). Cependant, si des précautions ne sont pas prises (conditions associées à chaque tarif), les consommateurs sont en mesure d'identifier cette discrimination et la rejeter.

■ La baisse des prix en ligne

La compétition occasionnée par la transparence des prix en ligne et l'augmentation du nombre de concurrents ont entraîné une baisse des prix ainsi qu'une homogénéisation de ceux-ci sur Internet. Les sites de comparateurs de prix ont contribué à accentuer ces phénomènes.

Les coûts associés à la vente en ligne sont inférieurs à ceux supportés par les commerçants traditionnels : diminution des coûts associés à la gestion du personnel commercial, diminution possible des coûts de stockage grâce à la centralisation, disparition des frais liés à la gestion d'un point de vente... Il convient toutefois de prendre en compte l'augmentation d'autres coûts et notamment les coûts de distribution physique des produits *via* Internet. Ils sont supportés, pour une partie, par les consommateurs, augmentant donc le prix total payé et, pour l'autre partie, par l'entreprise, augmentant ainsi ses coûts.

La vente en ligne entraîne généralement la disparition de certains intermédiaires et permet de vendre directement au consommateur. Il est donc possible de diminuer le prix de vente du montant de la marge prélevée par ces intermédiaires. De même, si les produits vendus sont des produits digitaux, l'entreprise peut effectuer des économies liées à la dématérialisation du support (papier, CD, DVD...), lui permettant ainsi de baisser encore plus le prix de vente.

En conséquence, les entreprises *online* (*click and mortar* et *pure player*) peuvent donc, en théorie, proposer des produits moins chers que leurs concurrents *offline* (*brick and mortar*).

L'impact d'Internet sur les modes de fixation des prix

Internet a un impact sur les différents modes de fixation des prix.

– *La fixation des prix à partir des coûts.* Cette méthode consiste à fixer le prix de vente en fonction des différents coûts supportés par l'entreprise (coût de revient) auxquels on ajoute une marge unitaire. Internet permettant de produire et surtout de distribuer les produits ou services à moindre coût, il est donc possible de diminuer les prix *online* selon cette logique.

– *La fixation des prix en fonction de la concurrence.* Cette approche est courante en ligne. L'avènement des comparateurs de prix tels que Kelkoo ou Google Shopping a augmenté la compétition en termes de prix. Les entreprises doivent maintenant développer des stratégies de prix suffisamment flexibles pour être compétitives sur le marché mais aussi qui leur permettent d'être rentables.

– *La fixation des prix en fonction du consommateur.* Il s'agit ici d'examiner les réponses des consommateurs en fonction d'une variation de prix. Cette stratégie fait référence au concept d'élasticité prix de la demande présenté ci-dessous.

Il y a deux approches possibles pour l'entreprise. Une stratégie de prix élevés (écrémage du marché) qui implique de fixer des prix plus élevés que la concurrence afin de refléter le positionnement haut de gamme du produit. À l'opposé, une stratégie de pénétration est mise en place lorsque le prix des produits est fixé plus bas que celui des concurrents afin de stimuler la demande et augmenter le taux de pénétration. Cette approche a particulièrement été utilisée par les *pure players* pour recruter des consommateurs. C'est notamment ce qui se passe sur le marché de la banque en ligne où les consommateurs clôturent leurs comptes dans les banques traditionnelles pour les ouvrir dans une banque en ligne proposant de meilleurs tarifs et conditions. Cependant, lorsque le consommateur est sensible au prix, alors l'entreprise doit maintenir les prix bas dans le temps au risque de le voir partir à la concurrence. De la même manière, si un client est intéressé par d'autres aspects de la prestation comme la qualité du service, il peut être nécessaire de créer un différentiel de prix important afin d'encourager à changer de fournisseur le client à la recherche uniquement du meilleur prix.

II La stratégie prix sur Internet

Afin d'élaborer sa stratégie prix, les détaillants en ligne doivent se poser les questions suivantes (Baye *et al.*, 2007) :

– Combien existe-t-il de concurrents sur le marché actuellement ? Les prix peuvent être augmentés lorsque le nombre de concurrents diminue et diminués lorsque le nombre de concurrents augmente.

– Quelle est la position du produit dans le cycle de vie ? Le prix du produit doit évoluer en fonction de sa position dans sa courbe de cycle de vie et il doit diminuer lorsque de nouvelles versions sont introduites sur le marché.

– Quelle est la sensibilité du consommateur à une variation de prix ou l'élasticité prix du produit ? Il est nécessaire pour un site de mener des expériences régulières sur l'impact d'une variation de prix du produit sur la demande et de mesurer la sensibilité prix du consommateur.

– Quel niveau de tarification fixer ? La fixation du prix optimal doit être décidée au niveau du produit et non pas au niveau de la catégorie de produits ou de l'entreprise. Ce prix optimal doit être fixé sur la base de tests de sensibilité au prix effectués sur le produit. Il est également important d'intégrer dans l'analyse les variations des coûts de recrutement *via* les moteurs de recherche et les comparateurs de prix pour chaque produit.

– Est-ce que les concurrents suivent les modifications de prix de l'entreprise ? Si les concurrents de l'entreprise suivent et analysent les variations de prix de celle-ci, il lui est alors nécessaire d'être imprévisible en matière de prix. Si les concurrents ne surveillent pas les variations de prix de l'entreprise, il lui est alors possible d'exploiter cet « aveuglement » à son avantage.

Il existe deux types de prix : le prix fixe, (le prix est le même pour tous) et les prix dynamiques (variant pour chaque consommateur), rendus possibles grâce à la *mass customization*, aux possibilités de négociation entre vendeur et acheteur et à la possible modification des prix au jour le jour, voire plus souvent encore. Ces possibilités créent de grandes opportunités pour les marketeurs pour optimiser les stratégies prix.

■ Internet et l'élasticité prix de la demande

L'élaboration d'une stratégie de prix *online* suppose de prendre en compte le concept d'élasticité prix de la demande. Ce concept venant de l'économie, indique dans quelle mesure la demande d'un produit ou d'un service varie en fonction d'une variation de son prix. L'élasticité prix de la demande est fonction du prix mais aussi de la nature du produit (de base, de luxe), de la disponibilité de produits de substitution chez les concurrents et du revenu du consommateur. Un produit est dit élastique ou réactif à un changement de prix, si une petite variation de prix augmente ou diminue la demande pour ce produit de manière substantielle. Un produit est dit « inélastique » si une grande variation de prix entraîne une faible modification de la demande.

Bien qu'intuitivement, il est possible de penser que la transparence des prix *online* augmente la sensibilité prix du consommateur grâce aux comparateurs de prix (Kelkoo.fr, Google Shopping...). De tels sites conduisent le consommateur à effectuer sa recherche par produit plutôt que par site, entraînant une focalisation sur la variable prix et donc le choix du marchand en ligne proposant le produit le moins cher. Cependant, la réalité est parfois différente et d'autres facteurs interviennent dans la décision d'achat en ligne car celui-ci comporte, parfois, un niveau de risque perçu élevé. Les cyberconsommateurs effectuent donc généralement leurs choix sur la base du prix mais également sur un ensemble d'autres éléments non directement reliés au prix comme la disponibilité du produit, les services supplémentaires proposés (possibilités de personnalisation, conditions de livraison, SAV...) ou la notoriété et la confiance dans la marque. Ces éléments contribuent à réduire le niveau de risque perçu et à diminuer la sensibilité prix. La comparaison des offres en ligne uniquement sur le critère « prix » n'est donc généralement pas possible. De plus, le comportement du consommateur n'est pas toujours rationnel. Il peut effectuer un choix dans une situation de rationalité limitée, c'est-à-dire dans une situation d'information imparfaite et retenir le premier produit ou vendeur en ligne qui répond à ses attentes et non pas nécessairement rechercher le prix le plus bas. Cela est particulièrement le cas en situation de pression temporelle.

■ **L'impact des comparateurs de prix sur la stratégie prix**

Pour les produits qui sont facilement comparés en ligne, l'impact des comparateurs de prix doit être intégré dans la stratégie prix du site. En effet, les comparateurs permettent d'attirer le consommateur sur le site avec un prix attractif. Celui-ci peut, par la suite, vendre au consommateur des produits complémentaires (*cross selling*) ou dans une autre gamme (*up selling*) afin d'augmenter sa marge. Parfois, les conditions de vente associées aux produits référencés dans les comparateurs de prix sont moins bonnes (délais, frais de livraison...), diminuant ainsi l'efficacité de ces outils. De même, la liste des sites référencés par les comparateurs de prix ou les informations sur les produits ne sont pas nécessairement exhaustives, limitant ainsi les possibilités de choix et d'information des consommateurs. Trois types de réactions sont possibles pour un site face à un comparateur de prix (Desmet, 2000) :

– l'opposition : refuser aux moteurs de shopping l'accès à l'information sur les produits ; cela risque de priver le site d'une clientèle potentielle se basant sur ces informations pour effectuer leurs achats mais peut être justifié si le site dispose d'une clientèle importante et fidèle ;

– la coopération : faciliter le travail des moteurs de shopping référençant les sites et les rémunérer pour les ventes apportées sur le principe de l'affiliation ; cette coopération est notamment utile pour les sites ayant un positionnement discount mais ce principe de la commission sur les ventes ne doit cependant pas nuire à la neutralité des réponses proposées ;

– le contournement : proposer sur son propre site, via une *marketplace*, l'accès à des offres de sites concurrents afin d'éviter aux internautes d'avoir recours à d'autres sites. Ainsi, le site PriceMinister/Rakuten propose aux internautes à la recherche d'un produit sur le site, d'avoir accès à l'offre proposée par le site mais également à celle proposée par un ensemble d'autres sites qui reverseront une commission à PriceMinister/Rakuten en cas de vente réalisée par cet intermédiaire.

Une stratégie pour une entreprise qui doit faire face à une amélioration de la transparence sur les prix sur Internet à cause des comparateurs de prix est de mettre en avant les autres caractéristiques de la marque (qualité de l'expérience en ligne, modalité et coût de la livraison, garanties, service après-vente...) afin de réduire l'attention portée sur le prix et augmenter la valeur perçue. Une autre solution consiste à éduquer le consommateur sur les limites de ces sites de comparaison de prix (seuls les sites qui payent sont référencés, focalisation sur le prix du produit et non pas sur le prix final payé par le consommateur...).

Qui est le moins cher.com : le comparateur de prix des produits alimentaires développé par E. Leclerc

Lancé en 2006 par E. Leclerc, ce site permet au consommateur de comparer les prix moyens des produits les plus courants que l'on retrouve dans la majorité des grandes et moyennes surfaces (ou GMS : hypermarchés, supermarchés ou hard discounts). E. Leclerc réalise plusieurs fois par an, un relevé de prix dans 3 387 GMS appartenant à 10 enseignes présentes au niveau national sur 2 618 produits (marques nationales, de distributeurs ou premiers prix). Les magasins sont sélectionnés selon la méthode des quotas et ne sont pas nécessairement les mêmes d'une vague à l'autre. Les produits couvrent 38 familles de produits présentes sur sept rayons différents (épicerie salée, sucrée, produits frais, boissons, non alimentaire, parfumerie et droguerie). Un rayon regroupe plusieurs catégories de produits répondant à une même catégorie de besoins. La liste des 2 618 produits est établie sur la base des familles de produits les plus vendus et les plus détenus en GMS.

Les prix sont relevés de façon objective et sur une période homogène par le cabinet FaCE conseil, spécialisée dans les enquêtes de collecte de prix. Les vagues de relevés de prix sont les plus rapprochées possibles afin d'obtenir un comparateur qui couvre une période large et de renouveler fréquemment les résultats. Ces éléments garantissent, sur un marché très concurrentiel, une certaine objectivité et fiabilité des résultats.

Une application pour smartphones permet au consommateur de scanner n'importe quel produit avec son téléphone et de comparer le prix de celui-ci avec celui du magasin E. Leclerc le plus proche.

Source : Quiestlemoinscher.com.

■ Les réactions face à une baisse des prix des concurrents

Les concurrents sont parfois tentés de baisser leurs prix afin de gagner des parts de marché. Cependant la compétition basée seulement sur les prix n'est pas une stratégie viable à long terme. En effet, la guerre sur les prix diminue les marges et affecte la rentabilité des entreprises. Lorsqu'un concurrent initie une baisse des prix, l'entreprise doit essayer de comprendre pourquoi il a engagé une telle démarche et décider comment y répondre. Face à une baisse des prix des concurrents, une entreprise peut réagir de quatre manières, qui peuvent s'appliquer au e-commerce :

– maintenir les prix en espérant que les ventes en ligne associées seront peu susceptibles de diminuer avec le prix car d'autres facteurs, tel le service client, sont autant, voire plus importants : l'entreprise peut proposer des garanties étendues ainsi que des services ou des produits supplémentaires – ainsi un hôtel peut maintenir le prix de la chambre mais proposer en ligne une offre packagée incluant le petit-déjeuner, un parking gratuit... ;

– diminuer le prix afin de prendre des parts de marché : cela suppose que l'entreprise puisse réduire certains de ses coûts afin de préserver la rentabilité ;

– améliorer la qualité perçue ou différentier les produits en proposant des services à valeur ajoutée ;

– introduire une nouvelle gamme de produits à prix moins élevés.

■ La stratégie prix dans un contexte multicanal

Les entreprises de type *click and mortar* doivent optimiser leur stratégie prix en fonction du canal de distribution (magasin, site Internet, téléphone...). La mise en place d'une stratégie de prix différenciée en fonction du canal n'est pas sans incidence. La vente en ligne entraînant une diminution des coûts devrait permettre à l'entreprise de proposer des prix inférieurs sur son site Internet par rapport à ceux pratiqués dans ses magasins. Cependant, cette stratégie peut conduire à une concurrence interne et accentuer le risque de cannibalisation et de conflit entre les canaux. De plus, sur Internet les entreprises *click and mortar* sont en concurrence avec les *pure players* qui sont libres de fixer leurs prix. Les vendeurs en ligne de type *click and mortar* sont donc confrontés à une double problématique pour leur fixation de prix en ligne : rester compétitifs par rapport aux sites *pure players* tout en restant cohérents avec les prix fixés en magasin afin de limiter les risques de conflits. Ils doivent donc adopter une stratégie de prix homogènes entre les canaux et mettre en avant les avantages du multicanal pour la justifier : possibilité de voir et tester le produit en magasin, disponibilité immédiate sur le point de vente, possibilité de retour en magasin *click and collect* (achat en ligne et retrait du produit en magasin)...

III Les nouvelles approches prix

Les nouvelles approches en matière de prix ne sont pas toutes apparues avec la diffusion d'Internet. Internet a seulement permis à certaines approches d'être utilisées de manière plus importante ou de trouver une nouvelle jeunesse. Par exemple, les enchères qu'elles soient traditionnelles de vente (avec adjudication à terme) en BtoC ou d'achat inversées en BtoB sont de plus en plus utilisées sur Internet.

– *Les enchères.* Elles ont connu une croissance importante avec le développement de plateformes CtoC qui permettent leur réalisation (eBay...). Il existe différents types d'enchères de vente :

– L'enchère « anglaise » est une enchère ascendante dans laquelle le vendeur annonce une mise à prix et éventuellement un prix de réserve (prix en dessous duquel il n'accepte pas de vendre). Les éventuels acquéreurs enchérissent et le dernier enchérisseur emporte l'objet à la fin du temps de vente. eBay utilise ce mode d'enchère car il permet à l'internaute de savoir, à n'importe quel moment, le prix de l'objet en vente et le temps restant pour enchérir.

– L'enchère « hollandaise » est une enchère descendante. Le vendeur annonce un prix de départ élevé et celui-ci diminue au fur et à mesure des offres. Ces enchères sont très rapides et sont utilisées pour des marchandises périssables.

– Les enchères inversées sont des enchères d'achat, lancées à l'initiative de l'acheteur. Elles sont utilisées principalement en BtoB. Les places de marché électroniques et les centrales d'achat de la grande distribution utilisent cette approche.

– *Les achats groupés.* Ils correspondent à une forme d'association de consommateurs qui se regroupent, *via* un site Internet, pour acheter collectivement un certain nombre de produits au même prix et reçoivent ainsi une remise sur quantités de la part du vendeur (fabricant, grossiste ou détaillant). Le site Groupon.com a remis au goût du jour le principe d'achats groupés (voir encadré ci-dessous).

– *Les prix dynamiques.* Internet a introduit de nouvelles opportunités pour la mise en place de stratégies de prix dynamiques. Ces stratégies impliquent de pouvoir mettre à jour les prix en temps réel et de les faire varier en fonction du profil du consommateur ou des conditions actuelles du marché. Sur Internet, le client n'est pas exposé à l'ensemble des prix. L'affichage du prix peut être personnalisé en fonction du profil de l'internaute et/ou de son comportement. Le vendeur peut donc adapter le prix aux différents segments de clients ou à la situation (mode d'accès au site, client fidèle ou nouveau client...) sans qu'ils en soient conscients. Il est ainsi possible de proposer à un nouveau client de bénéficier d'une réduction de prix uniquement pour son premier achat. Il faut cependant être attentif à la mise en place d'une telle réduction, car les clients actuels du site risquent d'être mécontents si la réduction de prix pour les nouveaux clients est importante. Amazon avait mis en place ce système en 2000 mais a dû le retirer à cause des retours négatifs des clients du site qui se sont aperçus que leurs amis ou collègues pouvaient payer le même article moins cher.

– En matière de prix dynamiques, les caractéristiques des technologies digitales ont permis la généralisation du *yield management.* Cette technique est particulièrement adaptée pour les entreprises soumises à des contraintes de capacité (nombre de places limité dans un avion, nombre de chambres dans un hôtel) et/ou qui offrent un service périssable (un siège inoccupé dans un avion au moment du décollage est « perdu »). En outre, les consommateurs ont des sensibilités prix différentes et accordent une importance plus ou moins grande aux caractéristiques de l'offre de service. Le *yield management* exploite ces différences et permet de résoudre de manière optimale le problème de la confrontation de l'offre et de la demande, grâce à une tarification différenciée et un contrôle systématique de la quantité d'un produit/service mis en vente dans chaque classe tarifaire. Le groupe Accor met en place une approche de *yield management* en fonction du motif de visite du client (affaires ou loisir) et de sa façon de voyager (seul ou en groupe) : cela le conduit à instaurer des tarifs différents pour quatre segments de clients (individuel loisir ou professionnel et groupe loisir ou professionnel).

Le *yield management* permet de calculer, en temps réel, les meilleurs prix pour optimiser le profit généré par la vente d'un produit ou d'un service, sur la base d'une modélisation et d'une prévision, en temps réel, du comportement de la demande par microsegment de marché. Un homme d'affaire, effectuant un déplacement professionnel sera moins sensible au prix de son billet d'avion qu'un étudiant. Il se focalisera peut-être davantage sur les conditions de modifications, d'annulation ou de remboursement.

– *Les tests de prix.* Internet, de par son interactivité et ses possibilités de personnalisation, permet de tester facilement l'impact d'un changement de prix. Une entreprise peut par exemple tester l'impact d'une augmentation de 3 % du prix de vente d'un produit sur les 50 premiers visiteurs et voir l'impact sur les taux d'achat. Ces simulations peuvent ainsi permettre à l'entreprise de déterminer l'élasticité prix de la demande d'un produit donné. Par exemple, Pixmania.com utilise Internet pour réaliser des expérimentations sur les prix et déterminer la sensibilité prix de ses consommateurs (variation du prix du même produit sur une période déterminée et analyse des conséquences).

– *Les frais d'expédition.* La mise en place de frais d'expédition peut avoir un effet dramatique sur les taux de conversion et la profitabilité du site. En effet, une des barrières à l'achat en ligne repose sur ces frais qui viennent s'ajouter au prix de l'article acheté et qui sont supportés, en partie, par le client, le problème étant ici de déterminer le montant de ces derniers afin de garantir la profitabilité de l'entreprise. Afin de réduire cette barrière à l'achat en ligne, certains sites proposent des frais d'expédition gratuits à condition que le panier dépasse un certain montant. Amazon propose ainsi la gratuité des frais de port pour une livraison en 3 à 5 jours pour toute commande supérieure à 25 euros si la commande ne contient pas de livres (la livraison est gratuite pour toute commande contenant des livres). De plus, différents modes d'envoi peuvent être mis en place en fonction du segment visé ou des besoins du consommateur (envoi rapide, dans un point relais…). Une approche complémentaire et innovante concernant le traitement des frais de livraison consiste à mettre en place un programme de fidélité en contrepartie d'une livraison gratuite express. C'est notamment ce qu'Amazon a réalisé en mettant en place un abonnement premium à 49 euros par an permettant aux internautes qui le désirent de pouvoir passer commande aussi souvent qu'ils le souhaitent sans avoir à repayer des frais d'expédition. L'abonnement premium prévoit une livraison express gratuite à un jour ouvré, à volonté et sans minimum de commande. Il offre même la possibilité d'être livré le soir même pour 3,99 euros à Paris, Lyon et Marseille. Sont inclus également dans l'offre le stockage gratuit et illimité des photos dans Amazon Cloud Drive ou la possibilité pour les propriétaires de Kindle d'emprunter des livres dans la Bibliothèque de prêt Kindle.

– Internet a permis l'apparition de *nouveaux types de politiques tarifaires*, notamment pour les produits digitaux pouvant être téléchargés (logiciel, musique, film, livre…). Ce type de produit est traditionnellement vendu avec un droit d'usage permanent. Internet a permis pour ces produits de nouveaux modes de tarification. C'est ainsi que sont apparus le paiement à l'usage, la location à prix fixe par mois, la vente liée avec un autre produit.

Groupon.com : sur la voie de la diversification

Fondé en 2008 à Chicago par Andrew Mason, le site joue le rôle d'intermédiaire entre les internautes qui s'inscrivent à une newsletter pour recevoir des offres de réduction proposées par les commerçants de leur ville. Ces offres à bas prix ou « deals » négociés par Groupon, ont généralement une durée limitée. Lorsque le nombre minimum de client est atteint, le deal est validé. Le consommateur paye alors en ligne et reçoit un e-mail avec le coupon qui sert de monnaie d'échange avec le commerçant. Ces deals, négociés par les commerciaux de Groupon permettent aux commerçants d'avoir une meilleure visibilité et de pallier les variations saisonnières d'activité. Même si le principe de l'achat groupé n'est pas nouveau, Andrew Mason a su développer un nouveau business model : Groupon prélève jusqu'à 50 % de la transaction. Le solde est redistribué au commerçant dans un délai de 30 à 60 jours. L'idée repose sur un marketing de proximité pour distribuer des offres négociées avec des petits commerçants locaux. Malgré l'attractivité de ce modèle pour les petits commerçants, certains prestataires ont constaté ses limites : marges très réduites, difficulté de gérer la surabondance de clients, faible fidélisation…

Après le boom des années 2008-2011, Groupon s'est engagé dans une stratégie de diversification et a fait évoluer son modèle économique afin de diminuer sa dépendance aux coupons de réduction qui étaient en perte de vitesse. C'est ainsi que le site a lancé une *marketplace* d'offres locales permanentes et moins discountées, un système d'exploitation pour petits commerces locaux, des services mobiles... Sur l'ensemble de l'année 2014, Groupon affiche un chiffre d'affaires en hausse de 24 % à 3,2 milliards de dollars et une perte nette de 73,1 million, réduite de 23 % en un an. L'Amérique du Nord représente 60 % des revenus de Groupon, la zone EMEA (l'Europe, le Moyen-Orient et l'Afrique) 29 % et le reste du monde 11 %. Groupon compte pousser encore plus loin sa diversification. En 2015, une suite d'outils de paiement et de marketing conçue pour aider les marchands dans leur politique d'acquisition clients a été lancée. Par ailleurs, Groupon déploie également des *beacons* en magasin afin de pouvoir envoyer des offres mobiles ciblées aux acheteurs.

Source : « Groupon : y a-t-il une vie après les coupons ? », *Le Journal du Net*, 13 février 2015

IV Les politiques promotionnelles

En matière de politiques promotionnelles sur Internet, plusieurs stratégies sont possibles. Les sites de type *click and mortar* ont tendance à alterner des périodes de prix élevés et des périodes promotionnelles, s'apparentant à une stratégie de type HILO (*High-Low*) alors que les *pure players* adoptent plutôt une stratégie de prix plus stable, proche de celle d'un discounter et pouvant s'apparenter à une stratégie de type EDLP (*Every Day Low Price*). C'est le cas notamment de la stratégie adoptée par Cdiscount.com.

Par ailleurs, Internet a contribué à remettre au goût du jour certaines techniques promotionnelles telles que les ventes privées, les jeux concours, le parrainage et les ventes flash. Cette technique permet à l'internaute de profiter d'une baisse de prix durant un laps de temps limité (24 heures par exemple) et éventuellement jusqu'à épuisement des quantités mises en vente. Un chronomètre sur le site indique le temps restant avant la fin de la promotion. Cette pression temporelle oblige l'internaute à se décider rapidement au risque de manquer une bonne affaire. Le site Cdiscount.com est notamment connu pour user régulièrement de cette technique promotionnelle.

Grâce à la généralisation des programmes de fidélisation chez les distributeurs, il leur est également maintenant possible de proposer des promotions personnalisées en fonction des achats précédemment effectués.

V Les moyens de paiement en ligne

La croissance du commerce électronique a entraîné une diversification des moyens de paiement en ligne. En complément des modes de paiements traditionnels (carte bancaire, chèque, virement...), de nombreux prestataires, banques ou sites ont développé et proposé des solutions alternatives afin de répondre aux attentes des différents segments de clientèle :

– *PayPpal* représente la solution de paiement en ligne la plus connue au monde. Elle a, à l'origine, été développé pour permettre les paiements de consommateur à consommateur (CtoC) été rachetée en 2002 par la société eBay pour 1,5 milliard de dollars US (la moitié des transactions du site d'enchères utilisaient PayPal comme solution de paiement). Aujourd'hui, présent dans presque 200 pays, les transactions réalisées sur eBay avec PayPal ne représentent qu'une partie de l'activité de la société et les deux entités ont retrouvé leur indépendance depuis 2015. La croissance de l'entreprise lui a ensuite permis de s'imposer comme une alternative aux moyens de paiement classiques. L'internaute ne communique son numéro de carte bancaire qu'à l'inscription. Ensuite, il n'a aucune autre information bancaire à fournir, les transactions se font de compte à compte. Le site se rémunère sous forme de commissions (fixe et variable sur chaque transaction). Il permet également de réaliser des transferts d'argent entre particuliers sur Internet et *via* smartphones.

– *L'e-Carte Bleue* permet de payer sur Internet sans communiquer son numéro de carte bancaire. Ce système a été créé afin de rassurer les internautes ne souhaitant pas communiquer leur numéro de carte sur Internet. Grâce à un logiciel, un numéro de carte virtuel à usage unique et correspondant à un montant prédéterminé est généré permettant de régler la transaction. Ce service peut être ou non facturé à l'utilisateur par sa banque.

– *Le paiement à crédit*: les solutions classiques de crédit à la consommation se retrouvent sur Internet. Cependant d'autres solutions innovantes ont été lancées. Par exemple, le site 1euro.com (Cofidis) propose de régler en 3, 5, 10, 20 fois ou par petites mensualités à partir de 30 euros par mois (1 euro par jour). Le commerçant est immédiatement payé et n'a pas à se soucier du crédit contracté par le client.

– *Internet* permet à l'internaute de payer ses achats de services ou des biens immatériels (actualités, médias, annuaires, astrologie, bourse, banque, droit, formation, personnalisation des mobiles, culture, jeux, logements...) directement sur sa facture de fournisseur d'accès à Internet (Free, Orange, Bouygues Telecom et SFR). Le montant mensuel maximum facturé est de 60 euros. Le site facture au commerçant des frais d'installation et prélève une commission sur les transactions.

– *Les solutions de micro paiement* (Allopass...) permettent au site de protéger l'accès à un contenu particulier (image, son, texte...) et de générer des revenus. L'utilisateur souhaitant accéder à ce contenu doit appeler un numéro surtaxé ou envoyer un SMS, un code d'accès lui est alors communiqué. Un pourcentage de la transaction est prélevé par le prestataire.

Certains sites ont développé leur propre système de micropaiement. Ainsi, Apple avec iTunes ou Google avec Google Play ont développé leurs propres systèmes de micropaiement pour l'achat de contenu sur leurs plateformes.

– *Les paiements sans contact* via *téléphone portable ou carte bancaire*:

– L'internaute peut également transformer son smartphone ou sa carte bancaire en porte-monnaie électronique pour ses achats de la vie quotidienne (inférieures à 20 euros) grâce aux technologies de communication sans contact (technologie NFC *Near Field Communication*). Pour cela, le téléphone doit être équipé d'une puce spéciale et le commerçant d'un terminal de paiement.

Apple a lancé en 2014 aux États-Unis et en 2015 au Royaume-Uni le système Apple Pay. Ce système permet de régler ses achats dans le monde physique mais également en ligne en utilisant son iPhone (ou sa montre connectée) équipé d'une puce NFC reliée à sa carte bancaire. L'authentification de l'utilisateur est assurée grâce au capteur biométrique Touch ID du téléphone.

VI Internet et gratuité

Aux débuts d'Internet, de nombreuses entreprises se sont lancées en proposant gratuitement leurs services aux consommateurs. Si certaines ont connu le succès avec cette approche grâce à la monétisation de leur audience (Google, Facebook...), de nombreuses sont encore à la recherche de sources de revenus suffisantes et/ou d'un moyen de faire payer leurs consommateurs pour l'utilisation de leurs services.

La question de la gratuité en ligne est une question d'importance stratégique. En 2009, Chris Anderson dans son ouvrage *Free ! Entrez dans l'économie du gratuit*, souligne que le modèle de la gratuité est appelé à se généraliser. En effet, il est inscrit dans l'ADN d'Internet et correspond à un processus commercial classique. Gillette a ainsi exploré avec succès dans le passé ce principe en offrant gratuitement ses rasoirs et en faisant payer l'achat des lames. Avec l'internet, une nouvelle gratuité s'est développée. Elle est fondée sur les coûts de reproduction nuls du fait de la numérisation, et sur l'abondance de l'offre en ligne qui tire les prix vers le bas. Chris Anderson relève différentes formes de gratuité :

– Les subventions croisées directes : le consommateur ne paye pas pour bénéficier du produit/service mais dès qu'il est en sa possession, il devient un acheteur captif d'un autre produit/service. C'est le cas par exemple d'un téléphone portable gratuit en échange de la souscription d'un abonnement mensuel.

– Le modèle publicitaire : le contenu est gratuit pour tous et l'entreprise se finance en vendant des espaces publicitaires à des annonceurs (Google, Facebook...).

– L'échange de travail : le consommateur accède gratuitement au service en échange d'un acte d'utilisation créant de la valeur. Il peut s'agir, par exemple, d'améliorer le service ou de fournir des informations qui peuvent être utiles à d'autres utilisateurs (avis, notations...). C'est le cas notamment du principe des votes mis en place sur le site Digg (site Web communautaire demandant aux internautes de voter pour une page intéressante, proposée par un utilisateur).

– Le « *freemium* » : la version de base grand public est gratuite, mais les versions plus sophistiquées sont payantes, permettant de toucher un marché de niche (jeux vidéos, logiciels gratuits...). Par exemple, Flickr propose un accès gratuit à sa version de base mais la version professionnelle coûte 50 dollars par an. Il s'agit du modèle de l'échantillon gratuit. Sur Internet, une personne qui paye permet à des milliers d'autres d'avoir accès à la version gratuite.

– Le don : l'altruisme ou l'économie du partage montrent qu'il y a d'autres façons de créer de la valeur en ligne (Wikipédia...).

Cependant, même si grâce à Internet le coût marginal de reproduction des produits numériques est nul, cela ne signifie pas que la production de ces produits ne coûte rien. L'existence d'une économie qui se fonde sur la gratuité de quelque chose à une étape de la chaîne de valeur est certes réelle, mais il ne doit pas forcément s'agir d'un modèle général.

Les propriétés des technologies digitales influencent donc la variable prix. Internet a également une influence sur la stratégie prix suite à l'introduction des comparateurs de prix, mais aussi dans une optique multicanal. De plus, grâce à Internet, il est plus facile pour une entreprise de changer les prix, de manière dynamique et de les transmettre au consommateur. Internet permet également de toucher une plus grande communauté de vente et d'achat (*via* les ventes aux enchères par exemple). Les entreprises peuvent également mettre en place des promotions prix plus ciblées et mesurer les réactions des consommateurs. Elles peuvent recevoir leurs feedbacks sur les prix, comprendre leurs capacités à payer et implémenter des stratégies de discrimination par les prix. De nouveaux modes de paiement en ligne se sont développés. La question de la gratuité des services en ligne apparaît également de la plus grande importante.

CHAPITRE 4

La politique de distribution sur Internet

La variable distribution du marketing mix fait référence à la manière dont un produit/service est mis à la disposition du consommateur. L'organisation de cette mise à disposition est plus ou moins complexe en fonction de la longueur du circuit de distribution.

Un circuit de distribution représente l'ensemble des canaux retenus par un producteur pour faire passer ses produits de l'état de production à l'état de consommation. On distingue plusieurs types de circuits de distribution : un circuit direct (ou vente directe) sans intermédiaire ; un circuit court, qui fait intervenir un seul intermédiaire (détaillant...) ; un circuit long, qui implique une succession d'intermédiaire (grossiste, détaillant...).

Un canal de distribution représente, quant à lui, un mode de mise à disposition déterminé, par lequel les produits/services sont acheminés *via* un réseau de magasins. Un canal représente aussi les méthodes de vente d'un même type. Par exemple, la vente sur Internet est un canal de distribution, au même titre que la vente en hypermarchés... De manière générale, pour les canaux *offline*, l'objectif de la distribution est de maximiser la disponibilité des produits tout en minimisant les coûts d'inventaire, de transport et de stockage. Dans un contexte *online*, la distribution fait référence à l'optimisation de la présence en ligne de l'entreprise et de ses produits/services. Cela renvoi également aux techniques de communication *online* (référencement, affiliation...) permettant d'assurer une meilleure visibilité aux produits ou services vendus en ligne. Ces éléments seront développés dans le chapitre 5. Les développements ci-dessous présentent les spécificités d'Internet comme canal de distribution.

I Internet et la modification des circuits de distribution

Les propriétés associées aux médias digitaux ont entraîné une modification des circuits de distribution. L'avènement d'Internet a permis l'apparition d'un nouveau canal de distribution pour les entreprises : la vente en ligne. Il a également permis aux producteurs de développer la vente directe de leurs produits ou services, ce qui peut contribuer à altérer les relations avec ses partenaires de distribution. En effet, les propriétés d'Internet permettent une ***désintermédiation***. Ce procédé consiste à supprimer dans le circuit de distribution un ou plusieurs intermédiaires qui formaient auparavant un lien entre le producteur et le consommateur (grossiste, détaillant...). Si le grossiste et le détaillant sont supprimés, le producteur peut vendre et promouvoir directement ses produits au consommateur *via* son site Internet. Si seulement un des deux types de partenaires est supprimé (grossiste ou détaillant), l'on passe d'un circuit de distribution long à un circuit plus court.

Les bénéfices de la désintermédiation pour un producteur sont évidents. Ainsi, il est notamment capable de supprimer les coûts associés à la vente des produits/services à travers le canal et répercuter éventuellement cette économie sur le prix proposé au consommateur. Cependant, les intermédiaires assurent un certain nombre de fonctions (informations sur le marché, effort promotionnel, gestion du processus de commande et de la transaction, stockage et transport, installation et service après-vente...). Les supprimer, signifie que ces fonctions devront être supportées par les autres intermédiaires voire uniquement par le producteur dans le cas de la vente directe. Supprimer des intermédiaires risque donc d'entraîner le producteur à devoir supporter des activités non reliées et non stratégiques, risquant de diminuer son efficacité et d'augmenter ses coûts.

Dans les années 90, il y a eu beaucoup de spéculations autour de la désintermédiation que permet Internet. Certains prédisaient la disparition de nombreuses entreprises jouant le rôle d'intermédiaires. Cependant, même si un grand nombre d'entreprises ont profité de la désintermédiation, les changements n'ont pas été aussi importants que ce qui avait été prédit. Étant donné que l'achat de produits ou services requiert toujours l'aide et l'assistance dans la sélection des biens achetés, de nouveaux intermédiaires ont fait leur apparition sur le marché. On parle ainsi de *réintermédiation.* Ce phénomène recouvre la création de nouveaux intermédiaires entre le consommateur et les fournisseurs, offrant des services comme la recherche de fournisseurs ou l'évaluation de produits. Les comparateurs de prix ou les sites d'avis consommateurs entrent par exemple dans cette nouvelle catégorie d'intermédiaires entre le producteur et le consommateur.

Dans le cas d'une désintermédiation, le consommateur doit s'adresser directement au producteur ou au prestataire de service pour acquérir un bien ou obtenir une information. Cela peut être, dans certaines situations, inefficient du point de vue du consommateur. Si l'on prend l'exemple de l'achat d'un billet d'avion, le consommateur va devoir visiter plusieurs sites de compagnies aériennes afin de déterminer le vol qui peut lui convenir et trouver la meilleure offre. Cette recherche peut être compliquée et fastidieuse. La réintermédiation permet de réduire ce manque d'efficience en replaçant un intermédiaire entre la compagnie aérienne et le consommateur. Ainsi, avoir recours à un intermédiaire, de type comparateur de prix comme Lastminute.com dont la base de données est interconnectée avec les différentes compagnies aériennes, va permettre au consommateur de simplifier la phase d'évaluation des offres et de comparaison du prix.

Du point de vue des producteurs ou fournisseurs de services, la réintermédiation implique qu'ils soient référencés par ces intermédiaires. Si l'accent est mis sur la variable prix, il est important pour l'entreprise de comparer le prix de ses offres avec celles des concurrents afin de figurer en bonne position. Ainsi, aujourd'hui, de nombreux hôtels sont devenus dépendants d'intermédiaires comme Booking.com ou Hotels.com pour garantir un bon taux de remplissage et élargir leur clientèle ; afin d'avoir une bonne place dans les résultats proposés aux internautes, ils doivent se plier aux conditions draconiennes imposées par ces intermédiaires et leur garantir une confortable commission.

Une autre tendance de modification des circuits de distribution est la « *contre-médiation* » (*countermediation*). Un producteur s'associe avec un organisme indépendant ou crée son propre intermédiaire indépendant de manière à concurrencer les intermédiaires existants. Cela permet d'instaurer des barrières à l'entrée pour un nouvel intermédiaire. C'est ce qu'ont fait en 2001 les grandes compagnies aériennes européennes (Air France, Lufthansa, British Airways...) en fondant Opodo.com afin de concurrencer les autres moteurs de recherche spécialisés dans le voyage (Lastminute.com...).

II Les différentes stratégies multicanal

Aujourd'hui, grâce aux développements de l'e-commerce, de plus en plus d'entreprises optent pour une stratégie multicanal : site Internet, magasin, centre d'appel, catalogue, smartphone/tablettes...

L'e-commerce a d'abord été considéré comme un moyen de vendre directement au consommateur sans intermédiaires. Ce nouveau canal de vente améliore en effet la performance de l'entreprise avec des coûts plus faibles. Le site marchand a, par la suite, été intégré dans la stratégie multicanal de l'entreprise comme un canal complémentaire. La place de ce nouveau canal par rapport aux canaux existants se pose. La réponse varie en fonction du type d'entreprise, producteur, distributeur *click and mortar* ou *pure player* (Issac et Volle, 2014).

■ Le cas des producteurs

Les producteurs ou fabricants ont rapidement vu le potentiel commercial que représentait la vente directe en ligne : cibler de nouveaux consommateurs, avoir une meilleure connaissance des clients, améliorer le rapport de force avec les distributeurs, dégager une marge plus importante... Cependant au-delà de ses avantages, la vente directe présente un risque de conflit entre les canaux. Dans certains cas, les conflits sont tels que le producteur préfère renoncer à la vente directe en ligne (par exemple Levi's aux États-Unis au début des années 2000). Afin de réussir dans la vente directe, le producteur doit disposer d'une marque forte, d'un produit impliquant et des ressources et compétences nécessaires pour développer son propre réseau de distribution. L'entreprise Dell a réussi selon ce mode de distribution, même si l'on constate dernièrement son développement *via* des distributeurs (Wal-Mart, Auchan...).

Apple et la gestion des conflits entre canaux

La stratégie multicanal d'Apple repose sur un site Internet de vente en ligne, permettant au consommateur de personnaliser et commander les produits ; un réseau en propre de magasins, les « Apple stores », présents dans presque vingt pays ; un site « iTunes Store » permettant d'acheter du contenu (musique, vidéo, livres...) en ligne et sur son smartphone ou tablette tactile ; l'« AppStore », accessible depuis différents supports (iPhone, iPad, iTunes...) qui permet de télécharger des applications ; et un réseau de distribution indirecte *via* des distributeurs physiques ou *online*. Ces derniers, face à la montée en puissance de la concurrence réalisée par Apple, ont fait part de leur mécontentement à la marque. Celle-ci est accusée de privilégier ses ventes sur son site Internet plutôt que ses revendeurs. De plus, les marges des distributeurs sont faibles et les objectifs fixés sont difficilement atteignables. Des règles strictes en matière de merchandising sont également imposées par la marque, ce qui engendre des coûts de mise en conformité pour les revendeurs. Cependant, la marque Apple est tellement forte et importante pour le consommateur qu'elle se trouve en position de force face à ses distributeurs et réussi à imposer ses conditions.

Source : Distributique.fr.

■ Le cas des distributeurs « *click and mortar* »

Les distributeurs traditionnels de type « *brick and mortar* » ont souhaité tirer parti de la croissance du canal Internet. Ils ont ainsi ajouté une brique « e-commerce » à leur réseau de distribution pour devenir « *click and mortar* ». En réalisant cela, ils s'exposent au risque de cannibalisation de leurs ventes en magasin par leurs ventes en ligne. Par ailleurs, dans une stratégie multicanal, la cohérence du marketing mix (prix, offre, promotions...) entre le site Internet et les magasins doit bénéficier d'une attention particulière.

Darty.com, par exemple, propose des produits au même prix en magasin et sur Internet afin d'assurer une cohérence dans sa politique commerciale. Le site relaye également l'ensemble des promotions diffusées en magasin. Cependant, afin de tirer profit de la vente en ligne, certains produits ou promotions spéciales sont proposés exclusivement en ligne permettant au consommateur de faire des affaires et au site de vendre des produits moins chers en ligne pour rester compétitif face aux pure players. De même, certains produits ou offres sont présentés en ligne mais ne sont disponibles qu'en magasin. Le site mise enfin sur la complémentarité des canaux en permettant au consommateur d'acheter en ligne et de se faire livrer directement chez lui (ou dans un point relais) mais aussi de récupérer les produits en magasin (*click and collect*).

Dans certains cas, la distribution multicanal permet de conquérir de nouveaux clients grâce à une amélioration de la couverture géographique. Dans d'autres, elle permet une amélioration du niveau de service offert au client grâce, par exemple, à une disponibilité du service 7j/7 et 24 h/24. Elle permet également de favoriser les échanges entre canaux : réservation en ligne avant d'aller récupérer les produits en magasin. Le canal Internet est aujourd'hui unanimement reconnu comme un apporteur de trafic et un générateur de chiffre d'affaires en magasin pour les distributeurs *click and mortar* (*web-to-store*). Les distributeurs *click and mortar* intègrent, également, de plus en plus des technologies digitales en magasin afin d'améliorer l'expérience consommateur (*digital-in-store*) : puces *RFID*, paiement *NFC*, QR codes, réalité augmentée, tablettes ou murs tactiles, bornes interactives permettant d'accéder à une offre étendue en ligne…

Dans le cas de la franchise, la distribution multicanal peut poser davantage de problèmes. En effet, le contrat de franchise comprend généralement une clause d'exclusivité territoriale qui limite la zone de vente du franchisé mais lui en assure le monopole. Lorsque le franchiseur décide de lancer un site Internet, celui-ci vient concurrencer le franchisé sur sa zone géographique. De nombreux conflits ont été relevés.

Sephora et la gestion du multicanal dans un réseau de franchise

Le site marchand de Sephora a été lancé en juillet 2005. Dès le début, une des préoccupations majeures de l'entreprise a été de faire en sorte que le réseau de franchisés ne perçoive pas le site comme un concurrent. Afin de le faire accepter, de nombreuses discussions et explications avec les conseillers en boutique et les propriétaires de magasins ont été nécessaires. Aujourd'hui, le site est le premier magasin en termes de fréquentation et se situe dans le trio de tête en termes de chiffre d'affaires. Les franchisés n'hésitent plus à en faire la promotion dans leurs magasins : « achetez 24 h/24 et 7j/7 sur Sephora.com ». Afin d'arriver à cette situation, Sephora a décidé de redistribuer aux magasins, en fonction de leur activité, le chiffre d'affaires réalisé en ligne. Cette solution permet même à certains franchisés d'atteindre leurs objectifs et ainsi de toucher leur prime.

Sur Internet, la stratégie de Sephora consiste à proposer à la vente l'ensemble de l'offre (plus de 200 marques, presque 10 000 références), à offrir un service client performant (livraison gratuite à partir de 60 euros, centre d'appel disponible 6j/7, coffrets cadeaux, retours gratuits en magasin) et à recruter de nouveaux clients sur tout le territoire, en particulier là où Sephora ne dispose pas de magasins. Pour réussir dans cette stratégie, Sephora a fait de son site un magasin comme les autres, parfaitement intégré dans l'expérience client multicanal. Le site et le réseau sont gérés de façon complémentaire. Par exemple, les codes de fidélité sont valables *online* et *offline*.

Source : Le Journal du Net

■ Le cas des distributeurs « *pure player* »

La question du multicanal a longtemps été ignorée par les distributeurs *pure player*. Ils ne se sont pas interrogés sur la nécessité d'ouvrir des points de vente physiques. En effet, confiants dans la croissance du e-commerce, ils ne voyaient pas l'intérêt de migrer vers un modèle *click and mortar* et donc d'augmenter leurs coûts. Néanmoins, de nombreux consommateurs sont encore réfractaires à payer en ligne, certains souhaitent pouvoir voir ou toucher le produit avant l'achat, et préfèrent donc conclure la transaction en magasin. De même, les délais ou les coûts de livraison en ligne sont parfois un obstacle à la finalisation de la transaction sur Internet tout comme les questions liées au service après-vente. Afin d'éviter de perdre ces clients potentiels, certains sites *pure player* ont décidé d'ouvrir des points de vente physiques. Ainsi Free, Ldlc.com ou Sportoo.com ont ouvert des points de vente ou des points conseils permettant aux clients de venir voir les produits, d'échanger avec les vendeurs ou de gérer les questions liées au service après-vente.

■ Le point de vue du consommateur

Le consommateur a pleinement intégré dans son comportement d'achat et de recherche d'informations les possibilités offertes par le multicanal. Internet est utilisé à plusieurs moments dans le processus d'achat et ce, de manière complémentaire avec les autres canaux afin d'en tirer le meilleur parti. Internet permet notamment d'échapper à la pression du vendeur qui est souvent perçue comme négative. Il facilite également la comparaison des prix que ce soit depuis son ordinateur ou même sur son smartphone en magasin (*showrooming*). Le consommateur peut effectuer en ligne une recherche approfondie d'information sur un produit, et ce, sur de multiples sources, avant de l'acheter en ligne ou en magasin. Il est possible qu'il change d'avis sur un produit à la suite de cette recherche d'information et à la lecture d'avis d'autres consommateurs. Les parcours d'achat sont aujourd'hui de plus en plus complexes et incluent des allers-retours entre les canaux physiques et virtuels : *web-to-store*, *store-to-web*.

III La mise en œuvre d'une stratégie multicanal/crosscanal

La mise en œuvre d'une stratégie multicanal doit être envisagée de manière globale par l'entreprise : elle doit déterminer le nombre de canaux nécessaires à l'atteinte des objectifs fixés ainsi que définir et assigner un rôle à chaque canal. Quatre rôles essentiels peuvent être identifiés (Issac et Volle, 2014) : un rôle de prescription, un rôle de communication, un rôle de transaction et un rôle de gestion de la relation client. Il est ensuite nécessaire d'articuler les canaux entre eux en fonction des différentes phases du processus d'achat : reconnaissance du besoin, recherche d'informations, évaluation des alternatives, achat et réactions post-achat. Ainsi, plusieurs parcours client type pourront être définis. Par exemple, l'entreprise pourra favoriser la recherche d'informations en ligne, l'achat en magasin et les questions relatives au service après-vente en magasin ou par téléphone. Afin de déterminer les parcours types, une analyse du coût de commercialisation par canal doit être effectuée.

Souvent les distributeurs se sont lancés dans une démarche multicanal en « silos » (pluricanal où chaque canal est géré de manière indépendante). L'ajout d'un site web marchand en complément d'un réseau de magasins s'est fait de manière déconnectée des magasins et sans échanges possibles avec ceux-ci. Cela n'a pas posé de réels problèmes pendant des années, le site web étant considéré comme un magasin supplémentaire et concurrent des magasins physiques. Or, avec le développement des smartphones et l'évolution du comportement du consommateur, il est aujourd'hui nécessaire pour un distributeur d'exploiter les synergies entre ses magasins et son site Internet. Le consommateur veut, par exemple, pouvoir vérifier la disponibilité d'un article dans le magasin le plus proche avant de s'y rendre, acheter un produit en ligne et aller le récupérer en magasin, retourner dans un magasin un produit qu'il a acheté en ligne... Si ces attentes du consommateur peuvent paraître légitimes, il est parfois difficile, pour le distributeur, de les satisfaire. En effet, pour cela, il lui est nécessaire de passer d'une organisation multicanal en « silos » (chaque canal pouvant avoir son propre système d'information) à une organisation crosscanal, où chaque canal est capable de partager et d'échanger des informations fiables et en temps réel avec les autres canaux (niveau des stocks en magasin...). Cette évolution entraînant des investissements importants en back-office (système d'information, logistique...).

Une stratégie crosscanal doit veiller à la compatibilité entre les canaux (une promotion en magasin doit être valable en ligne), à leur intégration (en favorisant le *click and collect*) et à leur optimisation (notamment au niveau des coûts). Elle impose d'avoir une vision transversale du client. Pour ailleurs, un marketing mix par canal doit être élaboré. Il est notamment nécessaire de déterminer l'assortiment de chaque canal. Ainsi, en matière d'assortiment sur Internet, il est possible de :

– proposer un assortiment plus profond et/ou plus large, le site n'étant pas limité par les mètres carrés pour la vente ;

– proposer des produits/services à durée de vie courte et périssables (billets d'avion, chambres d'hôtel...) grâce au *yield management* ;

– déstocker des produits en fin de vie en ligne ;

– développer des ventes additionnelles grâce à l'e-merchandising ;

– développer la vente de services supplémentaires (assurances, garanties...) ;

– proposer un assortiment plus réduit qu'en magasin, afin de diminuer les risques de cannibalisation et de conflit (Ikea).

La question de la politique de marque en ligne mérite d'être posée pour les distributeurs *click and mortar*. Certaines entreprises développent leurs activités *online* sous un nom propre afin de limiter les risques. C'est le cas de Carrefour avec son site de courses alimentaires en ligne, Ooshop.com. De nombreuses autres préfèrent capitaliser sur le nom de marque-enseigne existant (Leroy Merlin, Décathlon...). En matière de puissance de la marque, les distributeurs *click and mortar* ont un atout certain par rapport aux *pure players* ; ces derniers étant davantage crédibles en ligne.

La mise en œuvre d'une stratégie multicanal a un impact sur toute l'entreprise. Elle influence :

– la logistique : logistique séparée pour les magasins et le site Internet, coût du « dernier kilomètre parcouru » (de la plateforme logistique au domicile du client), gestion de la livraison et/ou des points de retrait, gestion des retours et du service après-vente... ;

– le stockage : stock commun ou différent par canaux, entrepôt dédié ou *store picking* (prélèvement des produits pour une commande en ligne directement dans les rayons d'un magasin existant)... ;

– la gestion de la relation client : gestion de la multiplicité des points de contact avec le client, dossier et historique client centralisé et accessible depuis les différents canaux... ;

– le système d'information : il doit évoluer pour prendre en compte les modifications au niveau des stocks (niveau de stock par canal, niveau de stock des magasins disponible en ligne...), de la logistique (lieu et modes de livraison, gestion des retours...) et de la relation client. Les informations clients provenant des différents canaux doivent être agrégées dans une même base de données pour pouvoir être analysées.

Les cybermarchés : la grande distribution alimentaire sur Internet

Le modèle de la grande distribution alimentaire traditionnelle basé sur le format de l'hypermarché est en train de perdre du terrain. Le contexte économique conjoncturel actuel et les bouleversements sociologiques poussent les distributeurs à développer de nouveaux canaux de vente. Loin d'être précurseur sur Internet, les distributeurs alimentaires développent aujourd'hui des solutions hybrides entre le *on* et le *offline*.

Dès le début des années 2000, certaines enseignes ont déployé des solutions de vente en ligne sous des noms différents des enseignes physiques existantes : Houra (Cora), Ooshop (Carrefour)... Cette stratégie avait pour but d'éviter les ambiguïtés sur les prix proposés *on* et *offline* mais aussi de limiter les risques en cas d'échec. Cependant les modes de vente, physique et *online*, ne sont pas indépendants (offre, assortiment, marques...). Carrefour l'a compris et a modifié sa stratégie. L'idée principale aujourd'hui est de capitaliser sur l'image de l'enseigne pour développer les ventes en ligne sous le nom de Carrefour.fr.

Plus généralement, trois grands modèles en ligne coexistent :

le modèle de « l'entrepôt dédié » : les commandes en ligne sont préparées dans d'immenses plateformes centrales (AuchanDirect, Ooshop) ;

le modèle du « store picking » : les produits commandés en ligne sont prélevés dans les stocks ou les rayons des magasins existants avant d'être livrés aux clients (Monoprix, Intermarché...).

le modèle « hybride » : le consommateur fait ses courses en ligne et vient les retirer, soit dans un magasin (*click-and-collect*), soit dans un « *drive* », point de retrait aménagé pour les voitures (AuchanDrive, E-Leclerc...).

Les *drives* s'avèrent être l'un des nouveaux moteurs de croissance de la distribution alimentaire. Deux modes d'organisation coexistent : ouvrir un point « *drive* » dans les points de vente existants (hypermarchés, supermarchés) ou choisir une implantation indépendante, adossée à un entrepôt installé à proximité (modèle « *drive solo* »), qui permet de gagner de nouveaux clients (Chronodrive...). Par ailleurs, construire un simple entrepôt ne nécessite pas d'autorisation d'urbanisme commercial, ce qui facilite le développement rapide des « *drives* » qui peuvent même être ouverts le dimanche.

À terme, il est possible que des partenariats puissent être noués avec d'autres enseignes permettent de livrer dans les « *drives* » des commandes autres qu'alimentaires (Casino utilise ses « *drives* » comme point de livraison de Cdiscount. Autour de ces entrepôts peuvent même être créés de petites zones commerciales.

Source : Le *Journal du net*.

L'évaluation de la performance de la stratégie multicanal doit être réalisée. Si des indicateurs de performance par canaux doivent être fixés (par exemple le taux de transformation pour un site marchand), il est nécessaire d'évaluer la performance globale de l'entreprise (un visiteur qui n'achète pas en ligne peut terminer son achat en magasin). Cela peut être facilité par la mise en place d'un système d'information multicanal performant pour gérer la relation client de manière globale.

La stratégie multicanal d'Ikea

Les produits commercialisés par Ikea engendrent des achats impulsifs ou impliquant (par exemple une cuisine). Dans ce cas, l'achat est souvent réalisé en famille, avec un temps de prise de décision long. Les besoins en informations et en conseils sont importants et Internet ne semble pas être le meilleur canal de vente. Ikea a ainsi développé une stratégie multicanal dans laquelle le site Internet sert à préparer la visite en magasin. Même si tous les produits vendus en magasin sont présentés *online*, il n'est possible d'acheter en ligne que seulement un assortiment réduit de presque 8 000 références.

Sur le site, les produits sont classés par univers et mis en scène dans un catalogue interactif. Les fiches produits mettent en avant un ensemble d'éléments favorisant un comportement mulicanal :

– bouton d'ajout au panier pour les articles disponibles à la vente en ligne (livraison à domicile) ;

– informations sur le conditionnement (nombre, poids et dimensions des colis) afin d'anticiper le retrait de la marchandise en magasin ;

– vérification de la disponibilité du produit en magasin ;

– fonction de création de listes d'achats avec option d'impression et d'envoi par e-mail pour consulter cette liste en magasin, *via* son smartphone ;

– accès rapide à la fiche du magasin de son choix : informations pratiques (horaires, accès, calcul d'itinéraire...) et actualités spécifiques du magasin (offres, nouveautés, carte du restaurant...) ;

– lien vers une assistance en ligne (assistance virtuelle à l'aide d'un « agent virtuel intelligent » [AVI], FAQ, centre de relation client téléphonique).

Ikea met également à disposition du consommateur une application permettant de visualiser les produits en situation dans son intérieur sur un plan 3D à l'échelle ou *via* réalité augmenté. Les produits sont automatiquement ajoutés à sa liste d'achat. Le consommateur peut terminer son aménagement en magasin sur les bornes interactives et avec l'aide d'un vendeur et/ou acheter les produits sélectionnés.

Un site de M-commerce a été lancé en 2015 et Ikea travaille à une application de *self-scanning* à utiliser en magasin afin d'accélérer le passage en caisse.

Ikea s'est également lancé dans le *click-and-collect* : un *drive* test a été ouvert à Montpellier et des casiers de retrait adaptés à la taille des produits vendus vont être testés à Paris.

La stratégie multicanal d'Ikea positionne le site Internet et les applications interactives en support des points de vente physiques. Le client est accompagné durant les phases amont de son processus d'achat et le contact est maintenu tout au long du cycle. Les canaux *online* et *offline* sont donc complémentaires.

IV Le risque de conflit entre les canaux

Grâce à la désintermédiation, un producteur peut utiliser Internet comme un canal de distribution supplémentaire et vendre directement ses produits au consommateur tout en augmentant sa profitabilité. Cependant, cela risque d'entraîner des conflits avec ses partenaires commerciaux. Ces risques doivent être soigneusement gérés.

Afin d'évaluer ces risques, il est nécessaire d'examiner les différentes utilisations d'Internet que peut avoir un producteur. Il peut utiliser Internet comme : uniquement un canal de communication, un canal de distribution *via* des intermédiaires, un canal de vente directe au consommateur ou toute combinaison des éléments mentionnés ci-dessus. Afin d'éviter les risques de conflit entre les canaux, une combinaison optimale doit être trouvée. Ainsi, utiliser Internet comme un canal de vente directe n'est pas forcément recommandé lorsque les prix des produits ou des services sont susceptibles de varier de manière significative entre les canaux. Dans ce cas, il est préférable de l'utiliser comme un canal de communication.

La fonction assignée au canal Internet va bien entendu dépendre de l'existence d'accords entre les parties prenantes. Lorsqu'un producteur souhaite s'implanter dans un nouveau pays (ou une nouvelle zone géographique) dans lequel il n'a pas encore d'agents ou de distributeurs, vendre directement ses produits à travers son site Internet n'est pas problématique. Il peut également décider de recruter des agents ou des distributeurs sur place. Un mélange de ces alternatives est possible et ne sera pas problématique étant donné l'inexistence d'accords antérieurs. En revanche, lorsqu'un producteur décide de vendre directement ses produits sur son site Internet alors qu'il existe d'autres canaux de distribution impliquant des intermédiaires, les risques de conflit sont plus grands. Les intermédiaires voient dans cette initiative du producteur un risque de cannibalisation de leurs ventes.

Dans cette situation, plusieurs stratégies de distribution sur Internet sont envisageables par le producteur : refuser de vendre sur Internet, vendre en ligne uniquement par le biais de revendeurs, vendre en ligne uniquement sur son site ou bien vendre en ligne à la fois sur son site et celui de ses revendeurs.

V L'essor du M-commerce

Avec un taux de pénétration de 27 % chez les Français de 18 ans et plus, le smartphone est le catalyseur du M-commerce. Les capacités et l'ergonomie de ces appareils ouvrent de nouvelles perspectives aux entreprises en matière de canal de distribution.

La France compte plus de 32 millions de possesseurs de smartphones. Ces téléphones « intelligents » permettent d'acheter directement depuis son mobile mais ils favorisent aussi l'achat en magasin grâce à l'accès à des informations en ligne. Ils peuvent également servir de support à des données dématérialisées comme les cartes de fidélité ou les coupons de réduction, ou même servir de porte-monnaie électronique *via* les technologies sans contact NFC (*Near Field Communication*).

Ces achats se concentrent, pour le moment, sur des produits simples, de faibles montants et commandés sur des sites connus (produits culturels, voyages, habillement grâce aux ventes privées...). Les mobinautes restent soucieux quant à la sécurité du paiement depuis un mobile, l'utilisation de leurs données personnelles et aux risques d'atteinte à la vie privée avec le développement de la géolocalisation. En magasin, ils utilisent leur smartphone pour : prendre une photo d'un produit, contacter (SMS ou appel) ou envoyer une photo d'un produit à un proche, scanner le code barre d'un produit...

De nombreuses grandes entreprises ont déjà développé une stratégie sur ce canal. Elles ont lancé des sites Web mobiles, voire une application pour smartphones. Les internautes utilisant de plus en plus leur smartphone pour aller sur le site de l'entreprise, il est déterminant de proposer, *a minima*, un site *responsive design* (adaptation de design du site en fonction de la résolution de l'écran de l'internaute afin d'optimiser l'expérience utilisateur). Les sites leader du e-commerce réalisent déjà plus de 20 % de leur chiffre d'affaires depuis les smartphones ; Vente-privée.com y réalisant plus de 50 % de son activité. Toute amélioration de l'expérience utilisateur pour vente-privee.com est donc aujourd'hui pensée *mobile first*. Face à la montée en puissance des smartphones, certaines entreprises décident même de développer leur activité en *mobile only* à l'image de Snapchat, Instagram... accessibles uniquement depuis un smartphone.

VI L'e-merchandising

La mise en œuvre de techniques d'e-merchandising est primordiale sur Internet. Comme pour le merchandising classique, c'est-à-dire pour un magasin physique, l'objectif de l'e-merchandising est de maximiser les ventes potentielles pour chaque visiteur. Sur Internet, cela passe par l'amélioration des mesures clés de la performance comme le taux de transformation ou le panier moyen. Afin d'atteindre cet objectif, plusieurs leviers sont disponibles : l'ergonomie du site, l'organisation et la mise en scène de l'offre et les services additionnels qui permettent de stimuler, rassurer et séduire l'internaute. Ainsi, les enjeux principaux de l'e-merchandising sont de :

– choisir les bonnes clés d'entrée pour catégoriser l'offre (produits/cibles/usages) ;

– présenter une offre complexe sans perturber le client et favoriser les recherches en rendant le produit plus accessible ;

– déterminer quels produits présenter à plusieurs endroits (double ou triple implantation) ;

– présenter les nouveautés, les promotions... ;

– orienter les choix sans augmenter le nombre de *facing* (nombre d'expositions d'une même référence) ;

– mettre en place des tactiques de persuasion et de stimulation.

Pour cela, plusieurs bonnes pratiques peuvent être mentionnées :

– optimiser la fiche produit : cette pratique permet de décider l'internaute à mettre le produit dans son panier, mais elle contribue également à l'augmentation du panier moyen grâce aux fonctionnalités de ventes additionnelles (croisées/ complémentaires) ou des montées en gamme. L'information proposée sur la fiche doit permettre de réduire le recours aux canaux de support avant-vente (e-mail, téléphone, chat...) ;

– mettre en avant des offres « packagées » : ainsi, les sites de voyage proposent des offres groupées incluant le vol, une location de voiture et une chambre d'hôtel à un prix global inférieur à la somme des prix séparés de chacune des prestations ;

– donner du relief à l'assortiment en optimisant la page de présentation des résultats, en créant des e-têtes de gondole, des univers thématiques, événementiels… ;

– permettre au consommateur de filtrer rapidement les résultats d'une recherche en fonction des différents attributs du produit (marque, prix…) ;

– donner une dynamique marchande au site (mise en avant des meilleures ventes, PLV dynamique, promotions…) ;

– donner une « présence » humaine au site grâce à un agent virtuel intelligent (Léa sur Voyages-sncf.com ou Ana sur Ikea) ;

– mettre en avant des systèmes de visualisation des produits (photos…). Les progrès dans les débits de connexions permettent aujourd'hui de proposer des moyens de visualisation plus complets : 3D, effet de zoom sur certaines parties, rotation, vidéo, réalité augmentée (superposition en temps réel d'un modèle virtuel 2D ou 3D à la perception qu'un consommateur a naturellement de la réalité)… ;

– indiquer si le produit est en stock et son niveau (s'il est faible), afin de susciter des achats impulsifs ;

– inciter les consommateurs à noter les produits et à laisser des commentaires/avis. Leur présence sur la fiche produit a un impact significatif sur les taux de transformation.

VII L'e-logistique

La logistique traditionnelle livre des commandes groupées à un nombre limité de points de vente (logistique « amont »), le client, en se déplaçant dans le point de vente, assure la logistique « aval » (transport depuis le point de vente jusqu'au point de consommation). L'e-logistique ou logistique de l'e-commerce doit, quant à elle, livrer des petites commandes à une multitude de points de livraison, ce qui entraîne une inversion du flux physique « aval » (le marchand en ligne doit supporter cette logistique). Cela complexifie les flux logistiques et augmente les coûts (manutention, transport…). Certains marchands en ligne optent, par conséquent, pour l'externalisation de la logistique du « dernier kilomètre parcouru ». Au-delà des prestataires logistiques classiques (transporteurs express tels que Chronopost, DHL, UPS… et opérateurs postaux) des sociétés spécialisées dans la livraison au client final (Mondial Relay, SOGEP…) et un réseau de points de retrait ou de casiers automatisés de *click and collect* (Relais Kiala, Chrono Relais, Packcity…) se sont développés. Les technologies digitales permettent de suivre la commande en temps réel.

La maîtrise des flux logistiques dans le commerce en ligne est primordiale. Il est ainsi important d'examiner les éléments relatifs à (Issac et Volle, 2014) :

– La gestion des stocks : stocks en propre ou *cross-docking/drop shipping* consistant pour un marchand à négocier la disponibilité de stock chez ses fournisseurs et lui permettre de ne pas supporter le coût de stockage.

– La préparation de la commande (*picking*) : elle peut être plus ou moins automatisée. Dans le cas de commandes multiproduits, il est nécessaire d'optimiser le processus de préparation afin de limiter les coûts. En cas de manque d'un ou plusieurs articles, une solution doit être proposée au client (livrer en plusieurs colis, livrer la commande incomplète mais facturer le bon montant, proposer des produits de substitution…).

– L'emballage de la commande : il constitue un moyen de communication pour l'entreprise. Néanmoins pour certains articles à valeur unitaire élevée (produits électroniques…), apposer le nom ou le logo de l'entreprise sur l'emballage peut inciter aux vols. Un emballage neutre peut être préféré. La taille de l'emballage va également conditionner le coût du transport.

– Le transport de la commande : les coûts de transport doivent être optimisés car ils représentent en moyenne 50 % des coûts logistiques. Ils dépendent de la localisation de l'entrepôt et du mode de livraison. Afin de les réduire et optimiser le remplissage des camions, il est nécessaire de diminuer la taille des colis. L'optimisation des tournées est par ailleurs essentielle pour réduire l'empreinte carbone du commerce électronique.

– La livraison de la commande : il existe plusieurs options de livraison (à domicile sans rendez-vous, mais en cas d'absence du client, il est nécessaire de faire un deuxième passage coûteux ; à domicile avec rendez-vous ; sur le point de vente, parfois simplement quelques heures après la commande (Darty, Fnac...) ; dans un réseau de points relais ou casiers automatisés ; ou dans un point retrait de type *drive*. Le type de produit à livrer conditionne également les modalités de livraison. La livraison de produits frais ou congelés (produits périssables, respect de la chaîne du froid) est très différente de la livraison de produits pondéreux ou volumineux (nécessitant le recours à des transporteurs différents), qui est également très différente des produits dématérialisés (gestion de la bande passante, moyens de téléchargement proposés...).

– Les frais de livraison : ils représentent un frein à l'achat, surtout si leur montant n'est précisé qu'en fin de processus de commande. Plusieurs options sont envisageables : gratuité (coût inclus dans le prix des produits), montant forfaitaire (coût unique quelle que soit la quantité commandée), montant forfaitaire avec seuils conditionnels, facturation à l'unité commandée, facturation par abonnement, facturation au coût réel en fonction du poids et du volume de la commande...

– La logistique « retour » : le commerce électronique est une forme de vente à distance. Il est donc soumis à la même réglementation que les vépécistes traditionnels. Compte tenu du délai de rétractation prévu par la législation, l'e-commerçant doit prévoir une logistique « retour » afin de permettre au client de retourner le produit dans un délai de quatorze jours si celui-ci ne lui convient pas. De même, le marchand en ligne doit prévoir un moyen de reprise des équipements électriques et électroniques afin de les recycler. Enfin, cette logistique « retour » doit également permettre au client de renvoyer les produits défectueux ou pris en charge par le service après-vente.

La réglementation en matière de vente à distance sur Internet

La loi Chatel du 3 janvier 2008 pour le développement de la concurrence au service des consommateurs est d'abord intervenue pour prévoir différentes mesures destinées à endiguer les abus les plus fréquemment constatés, tels que les retards de livraison, les problèmes de non-remboursement, l'impossibilité d'accéder à certaines informations, et la difficulté à faire valoir ses droits en cas de manquement du professionnel à ses obligations contractuelles.

En transposant la directive 2011/83/UE du 25 octobre 2011 relative aux droits des consommateurs, la loi Hamon du 17 mars 2014 a créé de nouvelles obligations à la charge des professionnels.

S'agissant de la livraison des produits ou des services commandés en ligne, à défaut d'indication ou d'accord quant à la date de livraison ou d'exécution, le professionnel dispose d'un délai maximum de 30 jours à compter de la conclusion du contrat. Si les délais ne sont pas respectés, le consommateur peut résoudre le contrat et se faire rembourser.

La loi Chatel avait renforcé l'information des consommateurs sur l'existence ou l'absence du droit de rétractation prévu par l'article L 121-20 du Code de la consommation. La loi Hamon a renforcé ce droit en allongeant le délai de rétractation de sept à quatorze jours et en obligeant le cybermarchand à mettre en ligne des formulaires de rétractation. Selon la loi Hamon, le point de départ du délai court :

De la conclusion du contrat pour les prestations de services ainsi que certains contrats de fourniture d'énergie.

De la réception du bien par le consommateur pour les contrats de vente de biens ou les contrats de prestations de services incluant la vente de biens.

S'agissant de ces derniers, la loi du 20 décembre 2014 relative à la simplification de la vie des entreprises avait ajouté la possibilité pour le consommateur de se rétracter dès la conclusion du contrat. Or, la loi Macron du 6 août 2015 pour la croissance, l'activité et l'égalité des chances économiques a supprimé cette possibilité pour les ventes conclues à distance ou suite à un démarchage téléphonique. Désormais la faculté pour le consommateur de se rétracter dès la conclusion du contrat n'existe que pour les contrats de vente ou de prestations incluant la livraison d'un bien conclues hors établissement, c'est-à-dire lors d'un démarchage à domicile. Concernant les ventes en ligne, le consommateur est donc désormais condamné à attendre la livraison du produit pour pouvoir se rétracter. Il en résulte donc une diminution de ses droits.

Le professionnel est tenu de rembourser au consommateur la totalité des sommes versées, et ce dans les quatorze jours à compter de la date à laquelle il a été informé de la volonté du consommateur de se rétracter. Les seuls frais qui incombent au consommateur sont donc les frais directs de renvoi des marchandises, sauf si le professionnel a omis d'informer le consommateur que ces derniers seront à sa charge.

Afin de limiter la pratique qui consistait à rembourser systématiquement le consommateur sous forme d'avoir, la loi donne la primauté au remboursement par le même moyen de paiement que celui utilisé pour l'achat. Il est néanmoins possible de réaliser la transaction par un autre moyen de paiement à condition d'avoir obtenu l'accord du consommateur et de ne pas lui occasionner de frais supplémentaires.

Enfin, l'une des dispositions essentielles de la loi Hamon est d'interdire la pratique des cases pré-cochées, qui avait pour effet d'alourdir la facture du consommateur en ajoutant d'office certaines prestations à la commande.

Source : Loi Chatel du 3 janvier 2008, Loi Hamon du 17 mars 2014 et loi Macron du 6 août 2015

Chapitre 5

La politique de communication digitale

La politique de communication a pour objectif de transmettre le bon message, au bon consommateur, au bon moment. Depuis longtemps, elle était basée sur les médias traditionnels incluant la télé, la radio, la presse, l'affichage, le marketing direct, les relations publiques... Cependant, en quelques années, depuis la croissance Internet, il y a eu de grands changements. Les équivalents digitaux des moyens de communication traditionnels se sont développés et ont pris de plus en plus de place. Aujourd'hui, elle inclut des moyens de communication *on* et *offline* élaborés dans le cadre d'une stratégie de communication marketing intégrée (CMI). Internet ne remplace pas les canaux de communication existants, il vient les compléter. En 2017, le marché publicitaire français devrait peser, d'après ZenithOptimedia, 9,9 milliards d'euros. Internet (fixe et mobile) est le deuxième support média de publicité en France (avec 32,1 % des investissements publicitaires) derrière la télévision (32,6 %) et devant la presse papier (15,8 %) et la radio (7,1 %). La publicité sur Internet devrait dépasser la télévision au niveau mondial en 2018.

Les médias digitaux peuvent être utilisés pour communiquer dans le cadre de campagnes à court terme (lancement d'un nouveau produit, promotion, incitation à participer à un événement...) ou dans le cadre d'une communication *online* continue. Une compagne de communication en ligne peut être mise en place afin d'atteindre l'un des quatre objectifs suivants (Décaudin et Digout, 2011) :

– développer la notoriété de la marque, en favorisant sa visibilité sur un ensemble de sites partenaires et/ou à fort trafic ;

– créer du trafic : attirer sur le site un trafic qualifié en fonction de l'objectif fixé (vente, inscription, remplissage d'un formulaire...) ;

– convertir un visiteur en acheteur grâce à une communication sur le site délivrant un message pertinent et qui aide le visiteur dans la formation de ses perceptions ou dans la réalisation d'un résultat marketing souhaité par l'entreprise ;

– fidéliser les consommateurs actuels en mettant en place des actions l'incitant à acheter plus et plus souvent.

I Les spécificités de la communication digitale

La communication digitale se différentie de la communication traditionnelle sur plusieurs points. Tout d'abord, les médias digitaux sont des médias « *pull* » à la différence des médias traditionnels qui sont plutôt « *push* » (télévision, radio...) – sur Internet, l'internaute va plutôt vers l'information qu'elle ne vient à lui (grâce aux moteurs de recherche, comparateurs...). Il faut lui donner envie d'en savoir plus en cliquant sur un lien ou une bannière et essayer d'éviter d'être trop intrusif. Ensuite les médias digitaux favorisent l'établissement d'un dialogue à la différence du monologue des médias traditionnels (grâce aux e-mails, chat en ligne, agents virtuels intelligents...). En effet, l'interactivité favorise une communication dans les deux sens et en temps réel. L'internaute peut contrôler les flux, mais également contribuer en laissant un avis ou une évaluation, ou en transmettant un message. Le marketing viral sur Internet est très important. Les sites doivent favoriser le bouche-à-oreille électronique en mettant à place des opérations ou des outils incitant cette communication virale (jeux concours, faire suivre à un ami, partager sur les réseaux sociaux...). Enfin, la communication *online* est une communication « *one to some* » ou parfois même « *one to one* » à la différence de la communication *offline* qui est une communication « *one to many* ». Internet permet de personnaliser la communication à partir d'informations concernant le consommateur stockées dans les bases de données ou en fonction de l'observation de son comportement en ligne. Plus l'information sur le comportement et les préférences du consommateur est importante, plus l'entreprise sera à même de personnaliser la communication.

II Le marché de la publicité digitale

En France, 3,216 milliard d'euros net a été investi dans la publicité en ligne en 2015 selon le Syndicat des Régies Internet (SRI) en croissance de 6 %. La croissance des investissements publicitaires en ligne est à mettre en parallèle la décroissance des investissements sur les autres supports (télévision, presse...). Cette croissance peut être expliquée par l'augmentation du nombre d'annonceurs sur Internet, du temps passé par les consommateurs en ligne sur leurs smartphones/tablettes et les réseaux sociaux... mais aussi aux possibilités de mesure de l'efficacité des campagnes de communication *online*. Le marché de la publicité en ligne en France comprend le *search marketing*, le *display*, les comparateurs, l'e-mailing, l'affiliation, et la publicité sur les mobiles.

Les principaux annonceurs en ligne sont le secteur des télécommunications, des voyages, des services, de la banque et des assurances, de l'automobile, des produits culturels et multimédia, de l'alimentaire et de l'hygiène/beauté.

Les Paid, Owned et Earned média (POEM)

Les différents types d'expositions média dont peut bénéficier une marque auprès des consommateurs sont de trois types. Sur les médias digitaux on va retrouver :

– Le *Paid Média* qui représente l'espace publicitaire acheté par la marque sur les médias digitaux (display, SEA...).

– Le *Owned Média* qui désigne les points et supports d'exposition possédés et contrôlés par la marque (site web, page Facebook, compte Twitter, blog...).

– Le *Earned Média* qui désigne l'exposition dont bénéficie gratuitement la marque sur des supports personnels ou professionnels qu'elle ne contrôle pas (mentions sur les réseaux sociaux, sur les espaces de commentaires (avis consommateurs, commentaires articles presse) et des diffusions virales de vidéos.

Selon Nielsen, le « earned » et le « owned » média restent des médias de confiance pour les consommateurs dans le monde. En 2014, 83 % des internautes déclarent faire confiance aux médias viraux tels que le bouche-à-oreille, les recommandations de la famille ou des amis, plus qu'à toute autre forme de communication. Les sites web des marques représentent la seconde forme de publicité digne de confiance pour 70 % des internautes, suivis par les avis en ligne des consommateurs (66 %).

III Les différentes formes de la publicité digitale

1. Le *search engine advertising*

Google a été à l'initiative, en 2001, d'un nouveau phénomène publicitaire avec le développement du modèle des liens sponsorisés ou commerciaux. Une nouvelle technique est née: le *search engine advertising* (SEA). Cette technique consiste à vendre des liens contextuels à des sites d'annonceurs en fonction de la recherche effectuée par l'internaute sur un moteur de recherche ou lors de sa navigation sur un site ou depuis son smartphone. Ils permettent à un site de générer rapidement un trafic ciblé à partir des moteurs de recherche. L'objectif de SEA pour un site est d'augmenter les ventes, les prises de contact, les téléchargements, les abonnements... En 2015, le SEA représentait 1 815 milliards d'euros soit 56 % des investissements publicitaires digitaux, en croissance de 4 %. Le poids des recherches « locales » et celles effectuées depuis un mobile est de plus en plus important.

Principes de fonctionnement du programme AdWords

Le SEA permet un ciblage dynamique des publicités proposées. Il est basé sur un système d'enchères de mots clés. AdWords est le programme le plus populaire car Google détient, en France, environ 96 % du marché de la recherche sur le Web.

AdWords permet aux annonceurs de concevoir et de gérer eux-mêmes leurs campagnes, et ce directement en ligne. Leurs annonces au format texte (parfois sous format image ou vidéo), sont affichées en fonction d'une combinaison de critères dans les pages de résultat de Google (les liens prémium sont en haut et les autres liens commerciaux sont sur la partie droite; ils sont identifiés par un logo « annonces ») mais aussi sur un ensemble de sites appartenant à Google (YouTube, Gmail, Google Maps, Google Earth...) ou sur des sites de contenu partenaires grâce au réseau AdSense (voir ci-dessous). 62 % des revenus de Google proviennent de campagnes de liens sponsorisés et 21 % de liens sur des sites de contenu partenaires *via* le programme AdSense.

L'annonce s'affiche à partir du moment où l'internaute a saisi le mot ou la combinaison de mots clés retenus par l'annonceur. Les publicités utilisant ce principe sont rémunérées au coût par clic (CPC). L'annonceur ne paye que si l'internaute clique sur son annonce et non pas à chaque fois qu'elle s'est affichée. Il s'agit d'un paiement à la performance. Le CPC minimum s'élève à 0,01 euro et peut monter jusqu'à plus de 10 euros pour des services spécifiques et fortement recherchés (banque, crédit, immobilier...). À titre d'exemple le CPC pour « dépannage électricien Paris » est de 80 à 90 euros le clic, ce montant est à rapprocher d'une valeur de Retour sur Investissement (ROI) si l'électricien décroche le dépannage. Sur des mots à faible concurrence, le CPC est moindre que pour des mots très concurrentiels.

Pour chaque mot ou combinaison de mots clés, l'annonceur doit déterminer un montant maximum qu'il accepte de payer par clic (CPC maximum) et un budget maximum quotidien. Le système d'enchères permet de déterminer la place de l'annonce par rapport aux autres. Cependant, l'annonceur qui fixe l'enchère la plus élevée ne va pas nécessairement se retrouver en première position. Sa position va être déterminée en fonction de l'enchère maximale (CPC max) et du « *quality score* » (QS) de l'annonce (AdRank = CPC max x QS).

Le *quality score* est fonction du taux de clic (*clickthrough rate* ou CTR) du mot clé (version exacte du terme sur le domaine ciblé uniquement), de la pertinence du texte d'annonce/mot clé/page de destination (*landing page*), de l'historique de la performance du compte, de l'historique de la performance du mot clé, du temps de chargement de la page de destination... Google met en avant les annonces qui sont souvent cliquées même si elles ont un CPC plus faible. Il propose un ciblage géographique (grâce à la géolocalisation), horaire (en choisissant le moment d'affichage dans la journée), thématique (grâce au ciblage contextuel en fonction de la recherche effectuée par l'internaute ou le placement de la publicité sur le site en fonction de son contenu).

La conception et la réalisation de campagnes AdWords nécessitent des compétences pointues basées sur une mise à jour permanente des informations sur les principes et les outils et un apprentissage progressif du fonctionnement du système. Certaines entreprises externalisent la gestion de leurs campagnes de mots clés à des agences spécialisées.

Google met à la disposition des annonceurs ou des agences un ensemble d'outils pour leur permettre d'élaborer et de gérer au mieux leurs campagnes : Google Trends permet d'identifier les tendances de recherche, les effets saisonniers et la concurrence sur un mot clé ; d'autres outils, disponibles dans AdWords, permettent de générer des mots clés, des synonymes et d'estimer le trafic ; Google Analytics permet de suivre et de mesurer le comportement de l'internaute sur le site et d'évaluer l'impact des différentes campagnes à travers le calcul du ROI (*return on investment*).

Un certain nombre d'indicateurs sont importants à analyser ; il s'agit notamment des taux de clic moyen (entre 3 et 10 %), des taux de rebond (*bounce rate* en anglais, qui est le pourcentage d'internautes qui sont entrés sur une page Internet et qui ont quitté le site après ; ils n'ont vu qu'une seule page) et des taux de conversion (nombre de clics se traduisant par une action intéressante et recherchée par l'entreprise).

■ Le programme AdSense

En complément de son programme AdWords, Google a mis en place le programme AdSense permettant de diffuser sur un site des publicités ciblées (en format texte mais aussi image ou vidéo) en fonction du contenu du site support. La rémunération s'effectue également au CPC. Un site qui adhère à ce programme réserve des espaces publicitaires sur ses pages qui seront gérés par Google. Cela lui permet de générer des revenus supplémentaires et d'enrichir le contenu de ses pages. Google affiche des publicités contextuelles en fonction des pages recherchées et affichées par les internautes. Le robot de Google, « Googlebot » sélectionne, parmi les annonceurs qui participent au programme, celui ou ceux qui sont les plus appropriés. De par leur ciblage en fonction du contenu et leur bonne intégration dans les pages d'un site, ces publicités génèrent des taux de clics supérieurs. AdSense peut s'apparenter à un programme d'affiliation (voir ci-dessous) géré par Google. Il met en relation trois partis : Google, le site d'affichage et l'annonceur.

■ Le *Search Engine Optimization* (SEO)

Parallèlement aux campagnes de communication *via* l'achat de mots clés, une autre spécialité s'est développée, l'optimisation pour les moteurs de recherche (*search engine optimization* ou SEO). Il s'agit d'une optimisation du contenu d'un site *via* un ensemble de techniques qui favorisent sa compréhension et son interprétation par les moteurs de recherche. Ces techniques visent à apporter un maximum d'informations concernant le contenu d'une page Web aux robots d'indexation des moteurs de recherche. L'objectif de ce procédé est d'orienter le positionnement d'un page Web dans les résultats de recherche des moteurs sur des mots clés correspondant aux thèmes principaux du site. Le positionnement d'un site est considéré comme bon lorsqu'il est classé dans les 10 premières réponses sur des mots clés correspondant précisément à sa thématique (98 % des clicks relatifs à une requête sont effectués sur la première page de résultats). On parle de référencement naturel, organique ou encore « gratuit ». Même s'il n'y a pas d'investissement publicitaire à effectuer, cette optimisation du site est loin d'être gratuite. En effet, elle suppose un investissement en temps humain conséquent et continu afin d'optimiser le site et ses pages. À la différence des AdWords, il n'est pas possible de garantir une position sur la page de résultats des moteurs de recherche.

Le SEO s'intéresse au fonctionnement des moteurs de recherche, à ce que recherchent les internautes, aux principaux mots clés tapés dans ces moteurs et aux moteurs de recherche qui sont privilégiés par leur cible. Le terme « *search engine friendly* » ou « *Google friendly* » peut être utilisé pour décrire dans quelle mesure la conception du site, les menus, les systèmes de gestion des contenus, les images, les vidéos, le panier d'achat… ont été optimisés dans le but de leur référencement par les moteurs de recherche et notamment Google. Aujourd'hui, de plus en plus de connexions aux sites Internet ayant lieu depuis un mobile ou une tablette (en 2014, 50 % des recherches sur Google sont effectuées sur mobile), il est déterminent pour un site d'être développé en «*responsive design*» afin de garantir une expérience de navigation optimale quel que soit le support utilisé par l'internaute (Google pénalise depuis 2015 dans ses résultats les sites qui ne sont pas *mobile friendly*).

Les techniques de référencement (SEO/SEA) changent en permanence pour s'adapter aux évolutions des algorithmes des moteurs de recherche: géolocalisation des recherches et des résultats, référencement des images et des vidéos, référencement en temps réel (prise en compte des tweets) ou des contenus postés sur les réseaux sociaux (Facebook...). Le SEM (Search Engine Marketing) désigne l'ensemble des actions marketing pour améliorer le référencement d'un site qu'il soit naturel ou payant (SEM = SEA + SEO).

2. Les bannières publicitaires

Le display correspond aux publicités sur Internet faisant appel à des créations graphiques (textes, images ou vidéos). Ancêtres de la publicité en ligne, les bannières ont pris le nom de «display» pour les dissocier des «annonces sponsorisées». D'après le SRI, les investissements publicitaires en display en France se sont élevés en 2015 à 1,051 milliards d'euros, en croissance de 10 %. Ils représentent 33 % de la dépense publicitaire en ligne. Le display profite notamment du développement de la publicité vidéo (277 millions d'euros) et de l'accroissement des investissements sur les réseaux sociaux.

■ Les différents formats de bannières publicitaires

La première bannière publicitaire a été réalisée pour le compte de l'opérateur américain de téléphonie AT&T. Elle a été diffusée sur la page d'accueil de HotWired.com (devenu Wired.com). Sa taille (468x60 pixels) s'imposera comme un standard pour les bannières sur Internet jusqu'à l'évolution de la résolution des écrans des machines, des technologies, du réseau et des attentes consommateurs. Aujourd'hui, grâce aux progrès technologiques (html5, *streaming*...) et à l'amélioration des débits de connexions, il est possible de communiquer en ligne par le biais de bannières multimédia (*rich media*) et de différents formats.

Depuis 1998, l'IAB France (Interactive Advertising Bureau) structure le marché de la communication en ligne, favorise son usage et optimise son efficacité. L'IAB a simplifié l'offre en définissant un nombre réduit de formats standards afin de revaloriser les espaces publicitaires et d'accroître l'efficacité des campagnes en ligne (dimension exprimée en pixels [px], poids en kilooctets [ko] et durée d'animation si le format le nécessite). On retrouve notamment :

– la bannière classique (468 X 60 px) ou la méga bannière (728 X 90 px) ;

– le pavé ou rectangle (300 X 250 px) ;

– le *skyscraper* ou bannière verticale (120 ou 160 X 600 px) ;

– le flash transparent (de taille variable) qui permet de voir le reste de la page ;

– l'*interstitiel* (800 X 60 px), page publicitaire à laquelle l'internaute est obligatoirement exposé avant d'arriver sur le site désiré (pré-*home*) ou en attendant le chargement de la page de résultat de sa requête. Ce format peut être perçu comme intrusif mais permet à la marque une bonne exposition ;

– le rectangle 16/9e (320 X 180 px) ;

– les formats extensibles : pavé *expand*, *mega banner expand*, *skyscraper expand*... (de taille variable) ;

– le *billboard* vidéo : *pré*, *mid* ou *post-roll*, diffusé au début, milieu ou fin de visionnage d'une vidéo sur Internet.

Aujourd'hui, les formats publicitaires utilisent de plus en plus le *rich media* (ou média enrichi), c'est-à-dire qu'ils incorporent des contenus à forte interactivité avec l'utilisateur (animation, sons, vidéos...) qui apportent une valeur ajoutée importante dans les campagnes de publicité en ligne. On retrouve par exemple la bannière interactive ou vidéo, les *billboards*... À l'opposé, tous les formats « surgissants » (*pop up*, *pop under*, *site under*...) sont bannis. En effet, d'une part, une grande majorité d'internautes dispose de logiciels bloquants ces formats et, d'autre part, ces derniers, de par leur caractère intrusif, ont un effet négatif sur la perception de la marque mise en avant.

Le caractère intrusif d'une publicité est défini comme sa capacité (de par sa taille ou son mode d'apparition) à retarder, interrompre ou perturber la consultation ou la lecture d'une page ou d'un contenu par l'internaute. Cependant, grâce aux possibilités techniques, les formats les plus intrusifs sont généralement associés à l'utilisation de *cookies* qui permettent de limiter leur apparition pour l'internaute à une fois par jour ou par session. Il s'agit de la technique du *capping* (limite affectée sur une période donnée au nombre d'insertions d'une création publicitaire sur un site support ou sur les sites d'une même régie publicitaire). Un *capping* de 2 sur 24 heures affecté à une bannière permettra de n'afficher cette bannière que deux fois pour chaque visiteur pendant une journée complète. Le *capping* permet d'éviter la surexposition des campagnes publicitaires sur Internet, et donc de lasser l'internaute et d'améliorer le taux de clic.

■ La rémunération des campagnes de *display*

La rémunération des campagnes de *display* est basée sur un certain nombre d'indicateurs en fonction de l'objectif recherché (trafic, visibilité...). La rémunération peut être fixée à l'affichage/impression ou CPM (coût pour mille affichages/impressions de la publicité sur le site), au clic ou CPC (coût par clic sur la bannière publicitaire), au CPA (coût par action, commission sur les ventes réalisées suite à un clic sur une bannière) ou sur objectif ou CPL (coût par *lead*, c'est-à-dire que l'annonceur rémunère l'accomplissement par l'internaute d'une action spécifique comme l'inscription sur le site, le remplissage d'un formulaire...). Le CPC et les formes de CPA sont des modes de rémunération à la performance. L'annonceur ne paye que lorsque l'internaute a accompli l'action visée. Les différents coûts sont déterminés en fonction du taux d'audience du support, de l'emplacement de la publicité, de sa taille, de son caractère interactif et multimédia (*rich media*).

Les possibilités de ciblage

Internet autorise plusieurs types de ciblage pour les campagnes de *display*:

– un ciblage contextuel permettant de choisir de diffuser le message dans un contexte d'exposition particulier (par exemple sur un site automobile afin de toucher des personnes intéressées par l'automobile) ce qui sous-entend le choix du support, de l'emplacement, de la période de campagne... ;

– un ciblage comportemental (*targeting*) permettant de diffuser aux internautes des publicités personnalisées correspondant à leurs besoins et attentes supposés. Cela se matérialise par une personnalisation des contenus publicitaires en fonction du comportement de l'internaute (liens cliqués, articles vus, recherches effectuées, panier d'achat...) et de ses centres d'intérêt. On parle de reciblage (ou *retargeting*) lorsqu'un site diffuse une publicité ciblée à un internaute qui a visité le site sans acheter quelques minutes ou jours auparavant (en se basant sur les *cookies*). Ce type de publicités, bien que pouvant être perçu comme intrusif, est plus efficace (taux de clic plus élevé...) et offre un meilleur ROI. La société française Critéo, cotée au NASDAQ depuis 2013, s'est spécialisée dans le marché du reciblage publicitaire personnalisé sur Internet (via des publicités sur ordinateur, mobile, réseaux sociaux et même via e-mails). Elle achète des espaces publicitaires en ligne au CPM et les revend à ses clients au CPC.

La mesure de l'efficacité des campagnes de *display*

Il existe de multiples indicateurs, qualitatifs et quantitatifs, et pour certains en temps réel, qui permettent de mesurer l'efficacité d'une campagne publicitaire *online* dans une optique de maximiser le ROI (Décaudin et Digout, 2011 Florès, 2016). Plusieurs indicateurs quantitatifs peuvent être analysés.

– La mesure d'audience consiste à compter et identifier le comportement des internautes (nombre de visites, nombre de pages vues, temps moyen par visite, profil des visiteurs, provenance...). Cette mesure est effectuée soit en interrogeant un panel d'internautes représentatifs de la cible, soit en traquant la navigation d'un panel d'internautes sélectionnés à l'aide d'outils de mesure d'audience (Google Analytics, AT Internet...).

– Le nombre de clics/taux de clic consiste à évaluer le nombre de fois où une publicité a été cliquée. On assiste à une baisse tendancielle du taux de clic moyen depuis des années (taux de 0,1 %, parfois de 1 %).

Le nombre/taux de clic (CPC) ou le nombre d'affichages (CPM) mesurent plus l'étendue de la diffusion d'une campagne que son efficacité. L'efficacité évalue les résultats par rapport aux moyens mis en œuvre. Il est nécessaire de mettre en perspective ces mesures avec l'audience du site de l'annonceur, ses ventes, la mémorisation de la marque et sa notoriété.

– Le GRP (*Gross Rating Point*) est un indicateur de pression d'une campagne publicitaire sur une cible définie. Il s'agit, sur Internet, du nombre d'occasion de voir une insertion publicitaire pour cent individus de la cible.

Les indicateurs qualitatifs viennent compléter ceux quantitatifs en évaluant par exemple l'impact de la campagne sur le taux de mémorisation (pourcentage de personnes ayant été exposées au message et qui ont mémorisé au moins un élément du message), le taux d'attribution à la marque ou le taux de notoriété (spontanée ou assistée) de la marque.

■ Les évolutions des modes d'achat d'espaces publicitaires digitaux

Le marché de la publicité en ligne a considérablement évolué ces dernières années avec l'apparition de nouveaux modes d'achat et de vente qui offrent un meilleur ciblage, de meilleures performances et une meilleure intégration. Le programmatique se pose en système incontournable parfaitement complémentaire avec d'autres leviers digitaux comme le *native advertising*.

Le mode d'achat *Programmatique* se distingue des processus d'achat traditionnels avec la suppression des nombreuses étapes chronophages (négociations, allers-retours de plans médias, ordres d'insertion à répétition). Il ne se limite pas au *Real Time Bidding* (RTB, enchère en temps réel) qui est réalisé sur des places de marché ouvertes mais comprend également le *Programmatique Direct* (achat d'espaces non pas aux enchères mais en disposant d'un inventaire garanti à l'avance, sur des places de marché fermées). En France, en 2015, 40 % des achats de *display* sont réalisés en programmatique (423 millions d'euros, + 117 %).

Le *Real Time Bidding* consiste à allouer, en temps réel, une impression publicitaire à un annonceur et à en déterminer le prix en fonction de ses caractéristiques (taille, contexte, emplacement et moment auxquels elle est visualisée). Les campagnes en RTB sont censées cibler uniquement les internautes jugés pertinents dans le cadre de celle-ci.

Le *native advertising* (ou publicité native) est une nouvelle façon de faire de la publicité sous forme de contenu rédactionnel intégré à un site tiers qui se situe entre le *brand content* et le publireportage. La marque s'associe au contenu d'un article afin de créer un capital sympathie et susciter l'engagement des internautes afin qu'ils relaient ensuite ce contenu sur les réseaux sociaux. Il s'agit d'une publicité non intrusive qui se fond dans le flux éditorial d'un média avec un contenu à haute valeur ajoutée. D'après eMarketer, le *native ad* pèserait aujourd'hui outre-Atlantique plus de deux milliards de dollars et devrait atteindre plus de quatre milliards à l'horizon 2017.

3. La publicité sur mobiles

Selon PwC, les investissements publicitaires sur mobile se sont élevés en 2015 à 733 millions d'euros, représentant 26 % du marché de la publicité en ligne, en croissance de 59 %. La multiplication des sites mobiles et des applications pour smartphones, corrélée avec le nombre de plus en plus important de possesseurs de ce type d'appareils (29,4 millions de mobinautes, 58 % de la population française) contribuent à expliquer cette croissance. Le téléphone portable offre un contact personnel, direct et de façon quasi permanente avec son propriétaire. Il permet une adaptation du message selon le moment et le lieu où se trouve son propriétaire grâce à la géolocalisation. Ainsi, il est possible de proposer des offres commerciales, des bons de réduction et des publicités mieux ciblés.

■ Les formats de la publicité sur mobiles

Plusieurs formats publicitaires peuvent être utilisés sur les mobiles.

On retrouve en *display* notamment des bannières et des interstitiels représentant 277 millions d'euros d'investissements publicitaires en 2015 dont 73 % sur les réseaux sociaux (en croissance de 68 %).

Le téléphone mobile se prête également à la diffusion liens sponsorisés sur mobiles via l'internet mobile ou dans les applications avec 456 millions d'euros investis.

Les SMS peuvent être utilisés par les annonceurs pour diffuser des services et contenus à valeur ajoutée. Aujourd'hui, le système des SMS+ s'est développé pour différents usages (jeux, concours, informations, annuaires…). Il suffit à l'utilisateur d'envoyer un mot ou un numéro court pour recevoir, en contrepartie, un message. Les MMS permettent d'envoyer des messages multimédias (photos, images animées, fichiers audio, sonneries…) via les réseaux mobiles. Ces outils du marketing mobile permettent aux annonceurs de mener des campagnes d'acquisition ou de fidélisation en offrant des services à valeur ajoutée. Ils sont facturés à l'acte ou à l'abonnement. Ils permettent aux annonceurs de générer des revenus (vente de sonneries ou de fonds d'écran, infos boursières, trafic, météo, votes ou jeux concours dans des émissions de téléréalité…).

Les QR codes (quick response code) ou flashcodes (code-barres en 2D) se sont développés avec l'augmentation de nombre de possesseurs de smartphones. L'utilisateur doit scanner avec son téléphone (grâce à une application dédiée) le QR code se trouvant sur différents supports (affiche, emballage, presse…) pour déclencher une action (redirection vers un site Web, visionnage d'une vidéo…).

Ensuite, le développement des fonctions de géolocalisation sur les smartphones a permis la diffusion de publicités géolocalisées permettant la promotion de produits ou de services en fonction de la situation géographique du mobinaute ; cela permet d'attirer des annonceurs locaux qui bénéficient ainsi d'un meilleur ciblage (proposer une boisson chaude ou froide pour toute visite en fonction de la météo). Par exemple, il est possible de trouver un professionnel à proximité (restaurant, hôtel...), d'avoir des informations sur la vie quotidienne, de recevoir des coupons de réduction ciblés...

Enfin, les marques peuvent développer leurs propres applications mobiles téléchargeables gratuitement ou moyennant une contribution financière de l'internaute sur les principales plateformes (App Store, Google Play...). Elles leur permettent de communiquer directement avec la cible (messages push) et de favoriser la gestion de la relation client (programmes de fidélisation...). Il devient également possible de communiquer avec le consommateur lorsqu'il est à proximité ou dans le magasin d'un distributeur en utilisant les *beacons* (système de positionnement en intérieur pouvant communiquer avec un smartphone).

L'enrichissement de l'offre publicitaire sur mobile grâce à de nouveaux formats (vidéo, expand...) et le développement de nouveaux modes de commercialisation (offres couplées Web + mobile, géolocalisation...) ont poussé les annonceurs à investir de manière récurrente. La quasi-totalité des investissements se fait actuellement sur des formats display et de search. L'essor des tablettes tactiles pousse également les annonceurs à s'intéresser aux écrans nomades et à leur potentiel publicitaire.

4. L'affiliation

L'affiliation, technique d'e-marketing initié en 1996 par Jeff Bezos, PDG d'Amazon.com, est une relation contractualisée et rémunératrice entre deux sites dont l'un intègre un lien de renvoi vers le site de l'autre. Les partenaires sont dénommés l'affilieur (le site marchand) et l'affilié (le site qui renvoie vers le site marchand). Ce renvoi peut prendre différentes formes : liens contextuels, visuels comme des bannières et des boutons, des publicités intégrées.

D'après le SRI, 210 millions d'euros ont été investis dans des programmes d'affiliation, représentant seulement 6,5 % des investissements en publicité digitale. L'usage de plus en plus important du mobile par les consommateurs bénéficie peu, pour le moment, à l'affiliation à cause de problèmes de tracking, qui ne permet pas une bonne reconnaissance des ventes. Les secteurs les plus actifs en matière d'affiliation sont les services, la mode et les voyages.

■ Les différents modes d'affiliation

Il existe deux modes d'affiliation : l'affiliation directe ou l'affiliation indirecte *via* des plateformes d'affiliation.

Dans le cas de l'affiliation directe, le contrat d'affiliation est conclu directement avec le site affilieur (Amazon, Ebay…) qui se charge de recruter les partenaires, de mettre en place le programme, de le gérer et de rémunérer les partenaires. Amazon recrute ses affiliés directement sur son site à partir de la page « Club partenaire ». L'affilié doit indiquer une adresse e-mail et un numéro de carte bancaire pour recevoir sa rémunération éventuelle. Amazon propose un ensemble d'outils (widgets…) qui vont l'aider à mettre en avant les produits d'Amazon sur son site : liens produits, bannières, widgets. Amazon permet également à l'affilié de créer sur son site un « aStore », c'est-à-dire une boutique en ligne Amazon intégrée.

L'affiliation indirecte est gérée par des plateformes d'affiliation pour le compte de ses membres. Elles mettent en relation les sites affilieurs membres et les affiliés sélectionnés. Elles se chargent de gérer au quotidien le programme d'affiliation. Les principales plateformes d'affiliation sont : Zanox, Affilinet, Net affiliation, TradeDoubler… Elles gèrent les programmes d'affiliation pour des sites comme PriceMinister, la Fnac, Groupon, Orange, Meetic, La Redoute… Elles représentent près de 90 % du marché de l'affiliation en France.

■ La rémunération de l'affiliation

La rémunération de l'affilié peut prendre plusieurs formes selon le programme d'affiliation mis en place par l'affilieur, ses objectifs qualitatifs et quantitatifs et la « taille » de l'affilié. De plus, cette rémunération varie fortement selon le domaine d'activité, le type de produit vendu et parfois le rythme annuel. Il s'agit d'une rémunération à la performance, c'est-à-dire que le site marchand ne rémunère généralement que le chiffre d'affaires apporté sur la base d'un pourcentage. La rémunération est calculée en fonction de l'action désirée par l'affilieur. Il peut s'agir du CPA (coût par action, somme fixe payée pour un événement particulier comme une inscription à une newsletter ou un remplissage de formulaire…), CPC (coût par clic), CPM (coût pour mille impressions d'une bannière publicitaire), CPL (coût par *lead*, somme fixe pour une vente provenant de l'affilié), *revenue share* (pourcentage sur la vente), rémunération au compte ouvert (utilisée par les sites de courtage ou d'assurance), rémunération au contact téléphonique (pour les services de *call back* proposés sur les bandeaux publicitaires, la rémunération se fait au nombre d'appel réalisé).

■ Avantages et limites de l'affiliation

L'affiliation présente un certain nombre d'avantages, à la fois pour l'affilieur et l'affilié.

Tout d'abord, du point de vue de l'affilieur, elle lui permet de recruter de nouveaux clients à un coût très compétitif et de développer sa notoriété grâce à ses partenaires. Les démarches de ciblage et de contextualisation sont effectuées par l'affilié. Le mode de rémunération est proportionnel et basé sur la performance.

En ce qui concerne l'affilié, elle représente une opportunité de générer des revenus supplémentaires avec un risque financier nul. En permettant à l'internaute de se procurer des biens à partir du site de l'affilié, un réel service pour l'utilisateur est proposé. Cela permet de rendre le site de l'affilié plus attractif et plus dynamique.

Malgré ces avantages, l'affiliation comporte certaines limites pour l'affilié. Tout d'abord, il peut y avoir un risque de sous rémunération. La rémunération dépend du taux de commission (qui varie en fonction du produit), de l'assiette de la commission (elle peut porter uniquement sur le produit visé ou sur l'ensemble des achats effectués sur le site) et du temps de validité de la commission (uniquement valable pour la première visite ou, par exemple, pendant un mois).

5. L'e-mailing

L'e-mailing est un outil marketing majeur. Son développement rapide est basé sur un coût de mise en œuvre très faible et la généralisation de l'utilisation des messageries. Les usages actuels de l'e-mailing sont plus rationnels, plus professionnels, plus ciblés et doivent éviter la surpression marketing. Bien que les nouveaux supports de communication aient gagné en popularité, les campagnes d'e-mailing restent un outil privilégié, efficace et aux résultats facilement mesurables. Il est possible aujourd'hui de personnaliser l'e-mail au moment de son ouverture (météo, géolocalisation, promotions…). L'e-mailing représente en France seulement 4 % du marché de la publicité en ligne avec 130 millions investis en 2015.

■ Les différents types d'e-mailing

On distingue différents types d'e-mailing (Décaudin et Digout, 2011) :

– L'e-mailing de prospection ou d'acquisition. Son objectif est de recruter de nouveaux clients et/ou de les informer sur les produits ou services proposés par l'entreprise. L'envoi est effectué à partir de fichiers d'adresses e-mail *opt-in* achetés ou loués auprès de sociétés spécialisées dans la constitution de bases de données clients qualifiées. Le prix de l'adresse e-mail varie en fonction de son degré de qualification/ciblage. L'envoi peut également être effectué à partir d'un listing de prospects constitué par l'entreprise et qui acceptent d'être contactés par e-mail (*opt-in*). La finalité de ces envois est aussi de collecter des informations sur le prospect afin de mieux le connaître.

– L'e-mailing de fidélisation. Il est adressé aux clients ou contacts connus de l'entreprise. Son objectif est de les relancer ou les réactiver. Grâce à la connaissance du profil client (*profiling*), il est possible de personnaliser le message. La fréquence d'envoi de ce type d'e-mail est déterminante. L'e-mail de type « newsletter » permet de tenir informé régulièrement l'internaute de l'actualité de l'entreprise.

– L'e-mailing de relation client. Il peut s'agir d'un e-mail de bienvenue, de réservation, de confirmation ou de suivi de commande. Certains sont envoyés automatiquement à la suite d'événements spécifiques (ouverture de compte, inscription, commande…). Certains e-mails sont envoyés afin d'évaluer la satisfaction de l'internaute après un achat.

Grâce à la personnalisation dynamique du contenu, il est possible de personnaliser un e-mail sur la base du comportement du consommateur en ligne, de son historique d'achat ou de son profil. Il est possible d'automatiser l'envoi de certains e-mails lorsque l'internaute accompli une action précise (abandon de panier par exemple). Cette pratique est connue sous le nom de *trigger marketing*. Elle peut être perçue comme intrusive par le consommateur si elle est utilisée de manière abusive.

Un des avantages de l'e-mailing est son faible coût par rapport à un envoi de mailing papier. Il a un délai de transmission très rapide et permet des réponses rapides. Le suivi des campagnes et la mesure des résultats peuvent également être réalisés en temps réel. Cependant, il n'est pas possible de s'assurer de sa bonne réception par son destinataire, à cause des problèmes de délivrabilité, liés à la conception même du message ou à sa chaîne technique d'expédition (filtres anti-spam...). On estime que 20 % des messages n'arriveraient pas à destination. Aujourd'hui, 39 % des e-mails sont ouverts depuis un mobile ou une tablette (dont 71 % seulement sur mobile). Il est donc nécessaire de prendre en compte cette donnée dans la conception de l'e-mail.

■ La mesure de l'efficacité d'une campagne d'e-mailing

Un certain nombre d'indicateurs de mesure de l'efficacité d'une campagne d'e-mailing peuvent être retenus. Il s'agit notamment d'analyser le nombre de NPAI (n'habite pas à l'adresse indiquée), le taux d'ouverture de l'e-mail (en moyenne compris entre 15 et 20 %), le taux de clic (autour de 4 %) et le taux de transformation (défini en fonction de l'objectif de la campagne). Un suivi des désinscriptions suite à l'envoi d'un e-mail ou une newsletter peut également être effectué. Un marquage grâce à des tags des différentes parties de l'e-mail permet un meilleur suivi de son efficacité. Cette mesure de l'efficacité est déterminante afin de calculer le ROI de la campagne. Certains facteurs comme l'expéditeur, l'objet de l'e-mail, le degré de personnalisation, le jour et l'heure d'envoi... favorisent les taux d'ouverture et de clic.

Le spam

Le *spam* (ou pourriels) est un e-mail non sollicité par son destinataire. Il est généralement envoyé en masse à des fins publicitaires ou mal intentionnées. Cette pratique est interdite par la loi. Cependant, le faible coût de collecte de milliers d'adresses e-mails grâce à des robots et de leur envoi sans l'accord de leur destinataire permet d'expliquer son développement. Le *spam* nuit à l'image de l'e-mailing basé sur le marketing de la permission. Ce dernier repose sur la Loi pour la confiance dans l'économie numérique (LCEN), du 21 juin 2004, qui impose la règle de l'*opt-in* en matière d'e-mailing (par opposition à l'*opt-out*). Cela signifie que l'internaute doit avoir donné son consentement express pour recevoir des e-mails de la part d'une entreprise (avoir formellement coché une case). En règle générale, c'est la règle du double *opt-in* qui s'applique. L'internaute doit confirmer la validité de son adresse e-mail en cliquant sur un lien. Le destinataire doit pouvoir, à tout moment, se désinscrire d'une liste de diffusion. La règle de l'*opt-in* ne s'applique pas dans le cadre du BtoB et pour des envois en relation avec l'activité professionnelle exercée.

Le principe de la co-registration

La co-registration est une technique prépondérante dans les campagnes de recrutement. Elle consiste à proposer à l'utilisateur lors de son inscription à une newsletter de pouvoir profiter d'envoi de partenaires extérieurs au site. Cela permet ainsi de démultiplier l'*opt-in* et d'apporter un flot d'e-mail qualifié à ce même partenaire. Une commission est mise en place entre le site d'origine et le partenaire dénommé annonceur. L'action de co-registration peut aussi prendre la forme d'une action mutualisée et revient à un partenariat dit gagnant-gagnant gratuit. Dans les deux cas, le ciblage et le suivi du ROI de l'action sont primordiaux pour juger correctement l'apport qualifié d'adresses e-mail et non redondantes. Une autre forme de co-registration tend à se développer, la co-registration événementielle, basée sur le principe d'un jeu concours ou d'un site spécifique. Plusieurs annonceurs s'associent pour promouvoir leurs services respectifs : les coûts sont ainsi mutualisés par les différents partenaires. Cette solution est viable lorsque les annonceurs proviennent de secteurs d'activités différents afin d'éviter la constitution de BDD concurrente.

L'e-mailing est de plus en plus utilisé par les annonceurs comme un véritable canal de communication. Son coût limité et la capacité à facilement mesurer le retour sur investissement (ROI) expliquent cette utilisation. Il doit cependant être intégré dans la stratégie de communication multicanal, prendre en compte les nouveaux comportements comme l'utilisation des réseaux sociaux et les nouveaux modes de consultation des e-mails sur les téléphones mobiles.

6. Les comparateurs

Il s'agit de moteurs de recherche de type infomédiaires qui permettent de comparer les offres de différents marchands sur différents critères et notamment les prix (comparateurs de prix, sites de cashback...). Ils influencent à la fois le processus de décision (en mettant l'accent sur tel ou tel facteur) et le choix des consommateurs (en les incitant à retenir telle offre plutôt que telle autre). En 2014, d'après le SRI, les investissements publicitaires dans les comparateurs se sont élevés à 127 millions d'euros (en baisse de 10 %). Le changement d'algorithme de Google en 2014 a considérablement impacté leur audience à la baisse. Il existe des comparateurs généralistes (Kelkoo, Google Shopping, Le Guide...) et des comparateurs sectoriels (pour les voyages comme easy-voyage.com, pour les produits alimentaires comme Quiestlemoinscher.com...).

Leur fonctionnement et leur intégration dans la stratégie marketing d'une entreprise ont été présentés dans le chapitre 3 sur la politique de prix en ligne. Ils représentent un moyen de communication pour l'entreprise. Ils se rémunèrent au CPC ou par des commissions sur les ventes effectuées depuis les liens vers les sites listés. Ils proposent également la vente d'espaces publicitaires. Les taux de transformation se situent autour de 1 %.

7. Le marketing viral

À la différence du bouche-à-oreille qui est un phénomène naturel, le marketing viral regroupe un ensemble d'outils mis en place pour favoriser et amplifier une communication interpersonnelle à l'égard d'un produit ou d'une marque. Il s'agit d'améliorer la circulation d'un message afin d'en accroître, de manière exponentielle (par analogie avec un virus), la visibilité et l'efficacité (Viot, 2011). Le marketing viral n'utilise pas de média spécifique et occupe tous les canaux de communication. Il doit être intégré dans une campagne de communication multisupports (*on* et *offline*) pour être pertinent. C'est une sorte de publicité sauvage qui passe par le consommateur et le fait devenir vecteur du message. Le *buzz marketing* n'est qu'une technique de marketing viral qui vise à créer du bruit autour de la sortie d'un produit ou d'une offre.

Le marketing viral peut fonctionner avec peu de moyens mais nécessite de passer beaucoup de temps avec des influenceurs, sur des communautés, des forums, des réseaux sociaux… En effet, afin de favoriser la transmission virale du message, il est nécessaire de le diffuser à des internautes influenceurs ayant un fort potentiel de relais. Il est possible d'en distinguer trois types (Gladwell, 2003) :

– les *connectors* connaissent un grand nombre de personnes. Ils peuvent diffuser rapidement un message, qu'il soit positif ou négatif ;

– les *mavens* connaissent tout sur tout, donnent des conseils et font souvent changer d'avis ;

– les *persuadors* sont toujours en train d'essayer de persuader ou de convaincre.

Dans une campagne de marketing viral, les cibles sont touchées de manière non intrusive car ce n'est pas la marque qui transmet le message mais les internautes. L'internaute qui transmet le message est valorisé par l'action de diffusion qu'il assure vis-à-vis de ses pairs.

Le choix du type d'opération doit être effectué en fonction de la problématique marketing et des objectifs fixés : notoriété, image, trafic, recrutement clients, fidélisation, qualification de BDD, sensibilisation, repositionnement. On distingue notamment les jeux concours ou chasses aux trésors, les vidéos virales, les opérations de *teasing*/révélation, l'*undercover* marketing (l'entreprise ou la marque interviennent de façon dissimulée) ou le guérilla marketing (lorsqu'un concurrent intervient de manière masquée au détriment d'une marque)…

Les opérations de marketing viral sont de plus en plus nombreuses. Il devient donc difficile pour une marque d'arriver à se démarquer.

Certaines, grâce à des moyens financiers et techniques importants arrivent à se différentier, comme par exemple, Tipp-Ex et sa campagne vidéo «*Shoot the Bear*». D'autres, réussissent cependant à percer avec des moyens moindres. C'est le cas de la campagne « *Where the hell is Matt?*» montrant une vidéo de Matt, jeune Américain qui exécute une danse plutôt ridicule sur une musique New Age à différents endroits de la planète. Cette opération, sponsorisée par la marque de chewing-gums Stride, a été vue plus de 40 millions de fois sans nécessiter de gros moyens financiers. Il est possible de mentionner également l'opération « *The best job in the word*» organisée par l'office de tourisme d'Australie afin de recruter un gardien pour l'île d'Hamilton sur la grande barrière de corail.

Parfois, les opérations de marketing viral ou de *buzz* marketing peuvent être détournées par les internautes et se transformer en opération de «*bad buzz*». Par exemple, la campagne «Dove evolution» a donné lieu à de nombreuses parodies sur Internet.

Le succès d'une campagne virale est difficile à anticiper et à réellement apprécier. Le nombre de messages diffusés peut être un indicateur de l'efficacité d'une campagne. Celui-ci doit toutefois être rapporté au nombre de contacts utiles.

8. Les médias sociaux

Même si les médias sociaux ne constituent pas encore une source de trafic majeure (par rapport au SEM ou à l'affiliation), cependant, le développent croissant de leur usage par les internautes risque de leur faire jouer un rôle important dans le futur.

Les médias sociaux sur Internet sont un ensemble des plateformes en ligne créant une interaction sociale entre différents utilisateurs autour de contenus numériques (photos, textes, vidéos) et selon divers degrés d'affinités. Ils permettent à des internautes d'entrer en relation entre eux de façon publique ou semi-publique. Les réseaux sociaux sont des sites reposant sur un lien social. Le premier réseau social en ligne, Sixdegrees.com, a été crée en 1997; son nom se basait sur la théorie «du petit monde». Cependant, l'origine des réseaux sociaux est bien plus ancienne; Internet leur a permis d'avoir une diffusion plus grande et plus rapide.

Selon la loi des média participatifs ou loi des 1/10/89 %, il a été observé empiriquement que seulement 1 % des utilisateurs produisaient du contenu, 10 % le commentaient ou le modifiaient et 89 % le consultaient.

En 2014, d'après WeAreSocial, 68 % des français étaient inscrits sur un réseau social. Ils consacrent, en moyenne, 1 h 29 par jour sur ces espaces. Les annonceurs intègrent donc de plus en plus les réseaux sociaux dans leur stratégie de communication. Ils se basent sur les techniques de marketing viral pour communiquer sur leurs marques, produits ou services sur ces réseaux. En 2014, d'après le SRI, 7 % des dépenses digitales en France ont été allouées aux réseaux sociaux.

■ Les différents types de médias sociaux

Le panorama 2015 des médias sociaux (élaboré par Fred Cavazza) identifie deux plateformes sociales qui concentrent/relayent toutes les interactions sociales qui sont faites sur les autres plateformes : Facebook (le portail social de référence) et Twitter (qui est plus un média). Ces deux plateformes offrent un ensemble de fonctionnalités permettant de couvrir tous les usages « sociaux ». De nouvelles applications mobiles proposant des fonctionnalités de publication, de partage, de conversation... se sont également développées sur ce marché et ont réussi à conquérir de nombreux utilisateurs (WhatsApp, SnapChat, WeChat...). Elles deviennent de véritables « hub sociaux ». Les autres médias sociaux peuvent, quant à eux, être classés en fonction de leur usage :

– la publication avec les plateformes de blog (WordPress, Blogger...), les wikis (Wikipedia...) et les services intermédiaires comme Tumblr ;

– les services de partage de photos, vidéos, musique... (Flickr, Pinterest, YouTube, Deezer, Slideshare...) et les applications mobiles (Instagram...) ;

– la discussion avec les plateformes conversationnelles (Skype, Weibo...) et les applications mobiles de communication (Facebook Messenger...) ;

– le réseautage avec les réseaux sociaux BtoB (LinkedIn...), les services de rencontre (Badoo...), les applications de rencontre (Tinder...).

■ Les pages « fan » et la publicité sur Facebook

Lancé en 2004 aux États-Unis, Facebook compte actuellement en France, 30 millions d'utilisateurs actifs mensuels (soit 44 % de la population) dont 24 millions depuis un mobile. Au niveau mondial, le seuil d'un milliard d'internautes connectés à Facebook en une même journée a été franchi en août 2015.

Facebook offre aux entreprises ou aux marques la possibilité de créer une page « fan » leur permettant de développer une communauté autour de l'entreprise, de la marque ou de ses produit. Des applications spécifiques (mini-jeux, applications...) peuvent être développées et intégrées sur ces pages.

Facebook a également créé sa propre régie publicitaire et a développé un système de publicités inspiré des liens sponsorisés de Google. Des fonctionnalités communautaires (devenir fan, transférer, commenter...) y sont incorporées afin de favoriser les transmissions virales. Comme pour les liens sponsorisés, la rémunération s'effectue sur la base du CPC ou au CPM (si l'objectif est la notoriété). Facebook propose des options de ciblage des publicités avancées grâce à une connaissance fine du profil de ses membres (sexe, âge, localisation, préférences, profession...). Des statistiques, relatives aux taux de clic ou aux profils exposés aux messages publicitaires, sont proposées. Facebook a également lancé de nouveaux outils de ciblage pour les entreprises : « Audience similaire » (qui permet à une entreprise de faire la promotion de son activité auprès des membres de Facebook ayant le même profil que ses propres clients) et « Audience personnalisée » (qui permet à une entreprise de cibler à travers ses publicités Facebook uniquement les utilisateurs qui fréquentent certaines parties de son site web). Aujourd'hui, plus de 70 % des revenus publicitaires de Facebook proviennent du mobile.

■ L'e-réputation et le *community management*

Il est désormais impératif pour une marque d'avoir une présence sur les réseaux sociaux mais aussi de la contrôler. L'enjeu est de gérer son e-réputation. En effet, de par l'essor du Web 2.0 et des possibilités offertes aux internautes de générer du contenu en ligne (UGC), les marques ont perdu une partie de leur pouvoir de diffusion d'informations. Aujourd'hui, plus d'un quart du contenu relatif aux plus grandes marques internationales est généré par les internautes. L'impact des actions de communication sur les réseaux sociaux est difficile à déterminer. Le ROI de telles actions est difficile à calculer.

Face, à la fois, à la puissance et la menace que représentent les réseaux sociaux et les communautés en ligne, et à l'importance des informations échangées entre consommateurs sur Internet, les entreprises intègrent de plus en plus dans leur stratégie de communication une gestion de leur e-réputation. Cette mission est généralement confiée à un *community manager*. Il est chargé de communiquer la culture de l'entreprise sur le Web, de transmettre des informations et du contenu aux internautes, d'engager des discussions avec eux et de répondre à leurs interrogations. Il écoute leurs commentaires et fait remonter des données aux services de l'entreprise. Il a un rôle essentiel de pivot entre l'entreprise et ses clients. Il crée et gère la communauté de l'entreprise en ligne.

Cours 3

Chapitre 6

Les études marketing en ligne et la gestion de la relation client sur Internet

I Les études de marché en ligne

Internet, en plus d'être un objet d'étude ou de recherche, est également un moyen pour réaliser des études en ligne. La démarche d'une étude de marché en ligne est la même que pour une étude de marché *offline*. Internet permet cependant de nouvelles opportunités en matière d'outils et de mode de collecte de données grâce à l'interactivité et aux possibilités de personnalisation offertes. Ce mode d'enquête va être retenu pour sa rapidité, sa maîtrise des coûts, ses possibilités de ciblage des répondants et la facilité du suivi.

Le taux élevé de pénétration d'Internet dans la population française favorise la réalisation d'études de marché *online*. En effet, le profil des internautes se rapproche de plus en plus du profil de la population française et il est donc possible d'interroger les internautes sur des problématiques touchant la population entière.

Dans un premier temps, les techniques d'études traditionnelles ont été transposées en ligne (questionnaire, réunion de groupe, ethnographie...). Ensuite, grâce aux possibilités offertes par Internet et le Web 2.0, de nouvelles opportunités ont été exploitées. Aux techniques traditionnelles s'ajoute un ensemble de techniques d'observation, d'expérimentation ou d'écoute client. L'Esomar, une association des professionnels des études, estimait, en 2013, à 40 % (+7 %) la part du digital dans le chiffre d'affaires du marché des études. Les études quantitatives représentaient 55 % des études réalisées, les études automatisées 17 % et les études qualitatives 14 %.

1. Les études qualitatives en ligne

Les technologies digitales permettent une diversification des modes de recueil qualitatifs via des plateformes connectées sur ordinateur, mobile ou tablettes. Les smartphones ou tablettes peuvent être utilisés pour collecter des informations déclaratives en auto-administré soit dans le cadre d'échanges en temps réel avec un animateur (par SMS par exemple), soit dans le cadre de carnets d'usage auto-administrés, notamment via le recours à la photo ou la vidéo.

Les principales études qualitatives en ligne prennent la forme de *focus group online* et de netnographies.

■ *Le focus group online*

Un *focus group online* est l'adaptation de la technique de la réunion de groupe traditionnelle. Grâce à Internet, il est possible de réunir virtuellement, un petit groupe de personnes (4 à 6) qui vont échanger autour d'un sujet déterminé par le biais d'un *chat* virtuel (par clavier interposé) et ce pendant un laps de temps limité (1h-1h30). La principale différence par rapport à une réunion de groupe traditionnelle est que les participants n'ont pas besoin de se trouver physiquement dans un même lieu, la contrainte géographique est supprimée. Cela favorise donc la variété des profils interrogés (profils rares, médecins, juristes, mères qui travaillent...), tout en limitant les coûts associés à ce type de méthode (location de salle, frais de déplacement...). L'enjeu est de réussir à créer la même dynamique et la même spontanéité dans le salon de discussion virtuel que ce qui se passe dans le monde réel. Le fait que le participant ne soit pas présent physiquement peut contribuer à réduire ses inhibitions. L'enregistrement du langage non verbal (mimiques, gestes...) est plus difficile, voire impossible. Les participants sont invités à exprimer leurs sentiments et émotions en ayant recours à des *smileys* :-)...

Il est également possible de réaliser des entretiens semi-directifs en ligne en soumettant un questionnaire composé de questions ouvertes au répondant qu'il pourra retourner une fois qu'il aura saisi lui-même les réponses. Le contenu qualitatif (verbatim) pourra être analyse avec un logiciel d'analyses de données qualitatives (Alceste...). Toutefois, ce mode d'enquête souffre d'un manque de chaleur humaine de par l'absence de contact avec un enquêteur. Celui-ci peut, lors d'un entretien en face à face, demander des précisions si un thème n'a pas été suffisamment développé. Cela n'est pas possible en ligne, les réponses étant souvent laconiques.

■ La netnographie

Internet a également permis à l'ethnographie de trouver un nouveau terrain d'application. L'ethnographie est une méthode d'enquête de l'anthropologie dont l'objet est l'étude descriptive et analytique, sur le terrain, des mœurs et des coutumes de populations déterminées. Sur Internet, on parle de netnographie, elle consiste en l'étude des cultures et des communautés virtuelles présentes sur Internet (Kozinets, 2002). Cette méthode est utilisée pour décrire et analyser les messages postés sur Internet et notamment sur les médias sociaux ou les communautés virtuelles (blogs, forums, réseaux sociaux, messageries instantanées...). Le but de la netnographie n'est pas d'étudier la communauté pour elle-même, mais d'apporter des réponses à une problématique marketing en rapport avec l'objet de consommation concerné (Bernard, 2004). Elle est particulièrement utile pour étudier les phénomènes de bouche-à-oreille électronique. L'enquêteur doit s'immerger, de manière prolongée dans la communauté (observation participante ou non pendant 5 à 6 mois), afin de se familiariser avec la culture de celle-ci (normes et usages, valeurs, langage, rituels...). Il s'agit d'une méthode peu intrusive et naturelle qui facilité l'entrée dans la communauté, proche d'une méthode d'observation. La communauté analysée doit être choisie en fonction de sa pertinence par rapport à l'objet de consommation étudié mais aussi en fonction du nombre de messages postés et du nombre de participants. L'analyse des données recueillies consiste à comprendre le discours et les interactions entre individus qui se construisent une identité virtuelle, en communiquant *via* Internet, sur des sujets de consommation.

La netnographie ne peut analyser uniquement que les communications échangées et non pas l'ensemble du comportement des personnes étudiées. L'anonymat et la distance physique induits par Internet permettent d'explorer plus facilement des sujets difficiles ou tabous (téléchargement illégal, consommation ou usage de produits illégaux...). Internet permet également de sauvegarder toutes les données et de pouvoir y réaccéder de manière illimitée dans le cadre de l'analyse. De plus, les informations sont collectées en langage naturel et ne sont pas altérées par l'intervention d'un enquêteur. La question du respect de la vie privée des internautes dont les propos sont analysés peut se poser. Il est donc nécessaire que l'enquêteur agisse à « visage découvert » et qu'il obtienne leur accord pour diffuser leurs propos.

2. Les études quantitatives en ligne

■ Les avantages des études quantitatives en ligne

Les études quantitatives en ligne présentent un certain nombre d'avantages par rapport aux enquêtes traditionnelles (Viot, 2011). Elles offrent :

– une plus grande rapidité grâce à leur diffusion en ligne et/ou par e-mail et grâce aux possibilités de recrutement des participants sur les forums ou les réseaux sociaux ;

– une meilleure réactivité et interactivité : le taux de réponse dans les 24 heures suivant un envoi est généralement élevé ;

– des possibilités de prétest rapide des outils de collecte des données ;

– des coûts plus faibles (envoi d'un questionnaire par e-mail, pas de coûts d'impression...) ;

– une dispersion géographique à moindre coût ;

– une exploitation possible de contenus multimédia (images, sons, vidéos...) afin de représenter des produits, des packagings, des publicités... ;

– une meilleure ergonomie des outils de collecte (menus déroulants...) ;

– une possibilité de présentation aléatoire de l'ordre des questions et/ou des modalités de réponses afin d'éviter les effets d'ancrage ;

– un suivi facilité (taux d'ouverture, taux de réponse, taux de réactivité...) ;

– des possibilités de relancer les répondants qui n'ont pas encore rempli le questionnaire et/ou de les recontacter après l'enquête pour collecter des informations complémentaires.

■ Objectifs et modes d'enquête

Les études quantitatives sur Internet peuvent être menées afin de répondre à différents objectifs :

– effectuer des tests sur les variables du marketing mix (test de nom de marque, test de produit, test de prix, pré ou post-test publicitaire...) ;

– mesurer la notoriété (spontanée ou assistée) ;

– étudier l'image ou le positionnement ;

– évaluer la satisfaction...

Elles peuvent être réalisées dans le cadre d'enquêtes *ad hoc*, *omnibus* ou à partir d'un panel d'internautes.

Les enquêtes *ad hoc* sont réalisées à propos d'un sujet ou d'un annonceur en particulier. Elles sont conçues spécifiquement et doivent conduire à l'obtention de résultats précis permettant des solutions plus adaptées que celles préconisées par des enquêtes générales.

Les enquêtes *omnibus* sont administrées pour le compte de plusieurs entreprises afin d'amortir les coûts d'administration. Chaque entreprise a la possibilité de poser une ou plusieurs questions. Ce type d'enquête peut être réalisé ponctuellement ou périodiquement sur un panel.

Les enquêtes menées auprès d'un panel d'internautes représentent la majeure partie des études quantitatives en ligne. Dans ce type d'enquête, les participants acceptent d'être sollicités pour répondre de manière régulière à des questionnaires en ligne. Ils reçoivent en contrepartie une compensation financière ou en nature (bons de réduction, échantillons...). Administrer un panel *online* suppose un certain nombre de coûts (coût d'acquisition, coût de gestion...). Il existe des panels qui sont la propriété des sociétés d'études généralistes (Ipsos, GfK...) ou des « *access panels* », c'est-à-dire des panels appartenant à des sociétés spécialisées dans les études en ligne

(Toluna, Panel On The Web...). Le coût d'une enquête *via* un panel *online* dépend de la longueur du questionnaire, du nombre de répondants souhaités, de leur profil et des tâches à réaliser par le prestataire (collecte des données, analyses, rédaction du rapport d'enquête...).

■ La conception de l'outil de collecte et le mode d'administration

Au niveau de la conception de l'outil de collecte et de son mode d'administration, il est nécessaire d'être attentif à certains points. En effet, à la différence d'un questionnaire papier, la mise en forme d'un questionnaire en ligne peut varier en fonction des configurations techniques de l'ordinateur de l'internaute interrogé, de son navigateur... Il faut donc pré-tester le questionnaire avant de lancer l'enquête afin de vérifier sa compatibilité avec les différents navigateurs et fournisseurs d'accès à Internet, son ergonomie, l'enchaînement des questions, la facilité de saisie des réponses et la transmission du questionnaire rempli. Aujourd'hui de plus en plus d'internautes répondent aux enquêtes en ligne depuis leur smartphone ou tablette, il est donc nécessaire que l'affichage du questionnaire soit optimisé quel que soit le support utilisé par le répondant.

Concernant le mode d'administration du questionnaire en ligne, il est préférable de l'héberger sur un site Web et d'inviter l'internaute à y répondre par e-mail, une bannière ou *via* des messages postés sur des forums, blogs ou autres réseaux sociaux. Des *incentives* (« motivations » : lots à gagner dans le cadre d'un jeu concours...) peuvent être proposées à l'internaute afin de stimuler sa participation. Il faut toutefois veiller à ce que l'*incentive* proposée ne biaise pas les réponses et leur qualité. Enfin, sur Internet, l'interviewé est seul face à son écran et peut donc répondre à son propre rythme. L'auto-administration favorise la qualité des réponses (anonymat, temps disponible pour répondre, pas d'influence de l'enquêteur...).

3. Les méthodes d'observation et d'expérimentation

■ Les méthodes d'observation

Les propriétés d'Internet facilitent le recours à des méthodes d'observation ou de *tracking* qui permettent d'étudier le comportement de l'internaute sans qu'il s'en aperçoive. Ainsi, il est possible d'observer, d'enregistrer et d'analyser le comportement de l'internaute sur un site grâce aux fichiers *log* (fichier texte envoyé par l'internaute, identifié par son adresse IP, au serveur du site et qui répertorie de manière chronologique, l'ensemble des pages visitées ou des actions effectuées sur le site).

L'analyse de ces fichiers (ou *clickstream analysis*) permet de mieux connaître les internautes qui visitent le site (pages parcourues, mots clés utilisés pour accéder au site à partir des moteurs de recherches...) et, ainsi, de mieux répondre à leurs attentes. Parmi les indicateurs qui peuvent être analysés, on retrouve le nombre de visiteurs uniques, le nombre de pages vues, le temps de navigation, le temps par page, le mode d'accès au site... mais aussi l'étude du *tunnel de conversion* (ou entonnoir de conversion), c'est-à-dire l'analyse des étapes que l'internaute doit effectuer pour aboutir à une action spécifique (achat en ligne, inscription à une newsletter, demande de contact...). L'objectif est de déterminer le taux de sortie du site à chacune des étapes et d'essayer de le réduire (meilleure visibilité du bouton « ajouter au panier »...). Les mesures modernes permettent d'analyser, à l'intérieur d'une page Web, les zones où les internautes cliquent le plus souvent et il est ainsi possible d'établir une « carte de chaleur » mettant en évidence les zones les plus cliquées. Il existe également des techniques permettant d'enregistrer les déplacements de la souris avant le clic (*mouse tracking*). Il est donc possible sur Internet de collecter tout un ensemble d'informations invisibles pour l'internaute qui peuvent être analysées afin d'améliorer la performance du site. Ces mesures non intrusives peuvent être complétées par d'autres approches nécessitant l'implication de l'internaute comme l'*eye-tracking* ou l'analyse des protocoles de navigation.

L'*eye-tracking* (ou oculométrie) est une technique d'enregistrement du mouvement oculaire de l'internaute. Une caméra, souvent en lumière infrarouge, permet d'enregistrer le regard de l'internaute (là où il pose son regard sur une page Web, combien de temps et quelle est la trajectoire de celui-ci). Cette technique est adaptée pour étudier l'ergonomie ou la lisibilité d'un site, l'organisation d'une page Web ou l'attention portée aux publicités en fonction de leur emplacement. Elle nécessite le déplacement de l'internaute sur un lieu d'expérimentation. Cette technique peut être complétée avec une *analyse des protocoles de navigation* (ou verbalisation à voix haute des internautes lors de leur navigation). Cette technique permet de mieux comprendre le processus de navigation de l'internaute et d'expliquer ces choix.

Les technologies digitales permettent aussi d'observer et d'analyser le comportement du consommateur dans la rue ou dans un magasin (puces, RFID, bluetooth, données de géolocalisations de smartphones...).

■ Les méthodes d'expérimentation

Internet permet également la mise en œuvre de méthodes d'expérimentation, notamment pour la phase opérationnelle de certains tests marketing. L'interactivité et les possibilités de personnalisation offertes par Internet permettent aux marketeurs d'avoir des retours rapides, à moindre coût et de réaliser facilement des tests de plusieurs versions ou situations (« A/B *testing* »). Ainsi, il est possible de tester les variations des taux de clic sur deux versions de publicités en ligne (bannières, vidéo...), de tester l'impact d'une variation du prix, d'une promotion. Les possibilités de représentation virtuelles des produits en 3D permettent également de réaliser des tests de concept ou de packaging en ligne.

■ L'écoute client

Sur Internet, de nombreuses informations relatives au marché sont disponibles directement en ligne. Il suffit de les rechercher et/ou d'écouter les conversations entre clients. En effet, les entreprises ou les marques peuvent analyser les conversations des internautes sur les réseaux sociaux (*via* le *community management*), voire même les inciter à « faire entendre leur voix » directement sur leur site. En effet, les internautes peuvent faire remonter des informations à un site *via* l'envoi d'un e-mail mais aussi grâce aux possibilités de chat en direct avec des employés ou en utilisant un agent virtuel intelligent (AVI). L'entreprise peut également mettre en ligne une communauté de clients, espace d'échange privilégié avec et entre les clients (par exemple la fourmilière de Cdiscount). L'écoute client joue un rôle important dans la gestion de la relation client sur Internet.

II La gestion de la relation client sur Internet

Les technologies digitales permettent de nouvelles opportunités pour la gestion de la relation client grâce à la création de nouveaux services et à une communication plus contextualisée. Elles offrent, au consommateur, une disponibilité en tout temps et en tout lieu. Elles permettent, aux entreprises, de disposer d'outils de collecte, d'analyse de données, de personnalisation et d'interaction poussés.

1. Les déterminants de la fidélité en ligne

L'enjeu de l'e-commerce n'est pas seulement d'attirer des prospects sur un site mais aussi de les convertir en clients et de chercher à les fidéliser. La fidélité est définie comme un engagement profond du client à racheter de manière régulière un produit ou un service plus apprécié que les autres, malgré des circonstances changeantes ou des actions marketing présentant un impact potentiel suffisant pour entraîner une évolution des comportements (Oliver, 1997). Elle comprend une dimension comportementale et une dimension attitudinale : ce qui compte c'est le comportement d'achat mais aussi le fondement de ce comportement.

En matière d'e-commerce, la fidélité à un site marchand peut se traduire comme une attitude favorable du client à l'égard de ce site et entraîner des achats répétés. La fidélisation dans l'e-commerce présente un enjeu important car les coûts d'acquisition de nouveaux clients sont élevés. Elle passe par le développement de la connaissance client (profil, comportement…) qui permet à l'entreprise de mettre en place des actions afin de renforcer les relations avec celui-ci.

Si la *satisfaction* reste le premier déterminant de la fidélité, aujourd'hui, la simple satisfaction du client grâce à la réalisation d'un service de qualité ne suffit pas. Elle est une condition nécessaire mais pas suffisante. De nombreux facteurs peuvent contribuer à satisfaire un internaute sur un site. La *qualité de service électronique* a été identifiée comme étant un des antécédents importants de la satisfaction. Elle se définit comme le degré selon lequel un site Web facilite une recherche d'information, un achat et une livraison efficace et efficiente des produits ou services achetés. Sept dimensions majeures de la qualité de service ont été identifiées dans un contexte de commerce électronique (Bressolles, 2006) :

– l'information : qualité et quantité des informations présentées sur le produit ou le service ;

– la facilité d'utilisation : organisation et mise en page du site facilitant les déplacements et la recherche d'informations ;

– le caractère esthétique du site : caractère visuellement attirant et créatif du site ;

– la fiabilité : exactitude et rapidité de la livraison, respect des délais ;

– la sécurité/respect de la vie privée : sécurité des données financières et respect de la vie privée ;

– l'offre : richesse et variété des produits ou services proposés ;

– l'interactivité/personnalisation : fonctions interactives offertes par le site et niveau de personnalisation proposé.

Les éléments relatifs à la fiabilité et à la sécurité/respect de la vie privée sont très importants afin de rassurer l'internaute qui achète sur le site et développer la confiance envers l'e-marchand. La marque et la présence *offline* du distributeur multicanal peuvent également contribuer à fidéliser l'internaute.

Au-delà des éléments liés à la qualité de la prestation *online* qui permettent de fidéliser le client, certaines entreprises mettent en place des clauses contractuelles pour empêcher les clients de partir à la concurrence (durée d'engagement de 12 ou 24 mois...) ou instaurent des barrières à la sortie (pénalités). Parfois, les coûts de changement perçus par les clients (liés à l'habitude d'utilisation d'un site) sont importants et les empêchent de partir à la concurrence (habitude d'utilisation d'un moteur de recherche plutôt qu'un autre...).

D'autres entreprises ont développé de véritables programmes de fidélisation en propre sur la base d'un système de récompenses (points de fidélité, primes...) ou de reconnaissance (club client, privilèges, services dédiés...). Certaines préfèrent rejoindre un programme de fidélisation mutualisé (Maximiles). C'est notamment préférable lorsque la fréquence d'achat est faible et/ou les montants dépensés peu élevés, rendant le temps nécessaire pour obtenir une récompense significative, long. Ce type de programme peut également être un moyen d'acquisition pour le site en permettant au consommateur de découvrir des sites ou des offres inconnus. Il présente cependant l'inconvénient de diluer les effets entre les partenaires.

2. Les fondements de la gestion de la relation client sur Internet

■ Définition de la gestion de la relation client

La gestion de la relation (GRC) ou *customer relationship management* (CRM) s'inscrit dans le cadre du marketing relationnel qui s'oppose au marketing transactionnel. Il s'agit d'une approche de long terme, dans laquelle le client ne devient rentable qu'au bout d'un certain temps. Il est donc nécessaire d'implémenter des actions afin d'essayer de le fidéliser. L'objectif est de développer la part de client (dans le cadre d'une stratégie marketing intensive) plutôt que la conquête de nouveaux clients (stratégie marketing extensive).

La gestion de la relation client est une démarche organisationnelle visant à mieux satisfaire les clients, identifiés par leur potentiel d'activité et de rentabilité, à travers de multiples canaux de contact et dans le cadre d'une relation durable, afin d'accroître le chiffre d'affaires et la rentabilité de l'entreprise (Pellen *et al.*, 2011). Elle suppose la mise en œuvre de moyens importants et de technologies avancées (applications CRM, centre d'appel…) afin de :

– recruter des clients ;

– développer la part de client (pourcentage de CA de chaque client dans le CA total) par l'augmentation de la fréquence des visites et du panier moyen (ventes croisées et montées en gamme) ;

– allonger la durée de vie des clients ;

– reconquérir les clients perdus.

Cette gestion de la relation client doit être mise en place en intégrant les possibilités d'interactivité (communication verticale entre l'entreprise et les clients et dans les deux sens) et de transmissions d'informations de manière virale entre consommateurs (communication horizontale).

■ La connaissance du consommateur et le marketing de base de données

Afin de développer une relation progressive avec le consommateur, le site doit traquer son comportement en ligne et en mobilité (via son smartphone grâce à la géo-localisation), enregistrer et analyser toutes ses interactions (Isaac et Volle, 2014). Tout d'abord, le site doit pouvoir identifier les visiteurs. Cela peut se faire à l'aide de *cookies* déposés sur le disque dur de l'internaute ou en lui demandant de créer un compte pour se connecter au site.

Aujourd'hui, l'identification de l'internaute par son profil sur les réseaux sociaux, notamment à l'aide de la fonction « Facebook Connect », rend cette tâche plus facile, tout en donnant au site accès aux informations publiques renseignées sur le profil Facebook de l'internaute. Ensuite, il est important de pouvoir relier les informations du profil de l'internaute avec son comportement de navigation sur le site (enregistré grâce aux fichiers *log*), son comportement en magasin et son historique d'achats afin d'être en mesure de développer une relation avec le consommateur et mieux répondre à ses attentes et besoins grâce à la personnalisation de la relation et de la communication. C'est l'objectif du marketing de base de données qui vise à créer des bases de données client (BDD) qui sont des regroupements organisés de toutes les données recueillies, calculées ou extrapolées sur un client ou un prospect. L'idéal est d'obtenir un BDD client unique permettant d'avoir une vision à 360° de chaque client. Cependant à cause de la multiplication des canaux (papier, Web, centre d'appels, points de vente...) et donc des données, peu d'entreprises se sont engagées dans cette démarche. Elle implique des coûts de mise en œuvre mais aussi des changements organisationnels importants. Les BDD ont longtemps été pensées par produit ou par canal de distribution, aujourd'hui, les entreprises commencent un recentrage autour du client avec comme ambition de construire un référentiel unique.

Les modes de segmentation

La segmentation la plus répandue en matière de gestion de la relation client repose sur la profitabilité et la valeur à vie du client. La notion de valeur à vie (*customer lifetime value*) correspond à la valeur actuelle de la contribution future du client aux recettes de l'entreprise, diminuée par les coûts supportés par l'entreprise pour instaurer et maintenir la relation dans le temps (Peelen *et al.*, 2014). Ce mode de segmentation envisage le client selon deux axes : sa valeur actuelle pour l'entreprise et son potentiel futur de développement. En fonction du potentiel et de la valeur de chaque client, l'entreprise va mettre en place une approche spécifique.

L'entreprise doit ainsi identifier les clients à plus forte valeur potentielle afin de mener auprès d'eux des actions de rétention et de développement pour accroître le niveau de profit (ventes croisées, montées en gamme). Elle doit également identifier les clients pour lesquels la valeur économique est négative et dont le niveau de profitabilité dégrade le profit total afin d'opérer une baisse sélective des investissements envers ces clients voire les abandonner. Dans une démarche de gestion de la relation client, l'objectif n'est pas d'adapter la démarche pour chaque client mais uniquement pour les plus profitables ou ceux qui présentent le plus grand potentiel.

Aujourd'hui, on assiste à la montée en puissance des techniques de segmentations comportementales (comportements de visites d'un site Web, canaux utilisés…). Grâce à la mesure d'audience (*Web analytics*), il est possible d'enrichir, avec plus ou moins de finesse, la connaissance des visiteurs d'un site (clients ou prospects). Le *data mining* (extraction de connaissances à partir de données) et l'analyse statistique des comportements clients permettent de mieux segmenter les BDD clients.

La capacité des systèmes CRM se définit comme leur aptitude à délivrer de manière contextuelle et localisée le message et l'offre utile au client ou aux vendeurs.

Les Big Data

Suite au développement due-commerce des réseaux sociaux, des smartphones et autres objets connectés, les entreprises sont confrontées à des volumes de données à traiter de plus en plus importants. Ces Big Data (méga données) présentant un fort enjeu marketing et commercial et les outils classiques de gestion de BDD se révèlent inappropriés. Ces données se caractérisent généralement par 3 « V » : « Volume » (données trop volumineuses pour être traitées par les BDD classiques), « Vélocité » (flux permanent de données), « Variété » (ordinateur, tablette, smartphone, capteur, puce RFID, GPS, caméra, site web, blog, medias sociaux). Une 4e « V » est souvent ajouté, celui de « Valeur » des données (quelle est la valeur, au sens opérationnel, de ces données, dans quelles conditions sont-elles utilisables et dans quels cas sont-elles utiles ?).

Ces Big Data représentent l'or noir du XXIe siècle à condition d'avoir les bonnes compétences pour les traiter et les analyser. D'après le gouvernement, le marché français du Big Data atteindra 9 milliards d'euros d'ici à 2020 et créera 137 000 emplois. En relevant le défi des Big Data, les entreprises peuvent ainsi proposer une « expérience client » plus personnalisée et contextualisée grâce à l'analyse prédictive en temps réel.

3. La mise en œuvre de la gestion de la relation client sur Internet

■ Les leviers de la gestion de la relation client sur Internet

Les leviers en ligne de la gestion de la relation client changent en fonction du niveau de la relation. Si certains peuvent être mobilisés à différents stades, d'autres sont plus efficaces à certaines étapes. Ils sont présentés ci-dessous en fonction des quatre stades d'une relation client :

– *acquisition* : e-mailing d'acquisition, e-mail d'alerte, blogs, réseaux sociaux (Facebook, Twitter...), forums, communautés de clients/d'utilisateurs, Widget (application accessible sur le bureau de l'internaute), application sur smartphone, AVI... ;

– *fidélisation* : newsletter, e-mailing de fidélisation (promotions...), e-mailing de relation client (aux différentes étapes de la relation client), e-mailing de satisfaction, webzine (magazine de marque en ligne), clubs « clients », programmes de fidélisation dématérialisés,

Widget, applications sur smartphones, SMS/MMS, réseaux sociaux (Facebook, Twitter...), etc.;

– *rétention*: SMS/MMS, Blogs, Wikis, communautés de clients/utilisateurs, forums, réseaux sociaux (Facebook, Twitter...), etc.;

– *reconquête*: e-mail de reconquête, SMS/MMS, AVI...

Les logiciels et outils de la gestion de la relation client

Les entreprises ont à leur disposition différents types de logiciels pour les aider à piloter leur relation client:

– les logiciels de CRM analytique permettent d'analyser le portefeuille client et les résultats des opérations;

– les logiciels de CRM opérationnel permettent une automatisation des campagnes ou de la force de vente;

– les logiciels de CRM collaboratif font collaborer les différents canaux et les agents commerciaux.

Aujourd'hui, avec le développement d'Internet et des médias sociaux, les outils de CRM deviennent des outils d'e-CRM (permettant une automatisation de certains flux d'information essentiels) et de « social CRM » (sur les médias sociaux) en étant de plus en plus intégrés grâce, notamment, au *cloud computing* et au *mash-up* (Stenger et Bourliataux-Lajoinie, 2014). Le *cloud computing* permet de centraliser les données et les logiciels sur des serveurs et de distribuer les résultats de leurs calculs et de leurs opérations sur les terminaux des utilisateurs. Il repose sur la notion de *software as a service* (SaaS) qui consiste à faire payer l'utilisateur (entreprise ou consommateur) à l'usage, en fonction de ce qu'il utilise. Les *mash-ups* sont des applications hybrides qui puisent des éléments de contenu dans de vastes bases de données comme Google Maps, Twitter, Flickr... *via* des interfaces API (interfaces de programmation d'application) mélangeant des données de différentes sources. Par exemple, la solution proposée par l'entreprise Salesforce.com enrichit les fiches clients à partir d'informations issues de Twitter (critères thématiques et géographiques).

À première vue, ces outils permettent une meilleure gestion de la relation client en réduisant les coûts opérationnels. Ils permettent également d'augmenter la taille des BDD (nombre de clients) mais aussi le contenu de celles-ci (variété des informations stockées : comportements, préférences, contacts...). Ils posent cependant trois problèmes qui sont à prendre en compte lors de la mise en place d'une politique de gestion de la relation client (Stenger et Bourliataux-Lajoinie, 2011) :

– Un possible éloignement psychosociologique dû à la dématérialisation de la relation. Pour mener à grande échelle une politique orientée client, une entreprise doit mobiliser les technologies de l'information et « industrialiser » la relation. Cette dernière se bâtit sur un flot important d'interactions digitales. Même si cela entraîne une amélioration de la qualité de service (disponibilité 24 h/24 et 7j/7), la digitalisation de la relation et l'automatisation du *self-service* peuvent avoir comme conséquence une plus faible satisfaction de l'utilisateur et une perte de confiance de ce dernier (par exemple dans les secteurs de la téléphonie ou de la banque).

– Une intensification des échanges d'informations. Les technologies de l'information permettent de recruter des clients et de les fidéliser à moindre coût. Les entreprises en profitent donc pour intensifier le nombre et la fréquence des interactions (e-mailing, newsletter...), accentuant la pression commerciale sur le client (comme avec la technique du *retargeting*). Les clients peuvent se sentir irrités et résister à cette pression (filtrage des sollicitations...).

– Une individualisation pouvant conduire à un renversement du pouvoir de choix. La gestion de la relation client se fonde sur l'idée d'un traitement individualisé des clients. Les technologies digitales permettent cette personnalisation à l'individu, dans une situation et un moment donnés et pour une action précise. Elle se matérialise de différentes manières : comptes clients personnalisés, agrégateurs de flux RSS permettant de créer sa propre page, publicités et liens contextuels... La personnalisation peut cependant avoir comme conséquence une réduction de l'offre présentée au consommateur (sur le site et *via* e-mail). Grâce aux comparateurs en ligne, les consommateurs peuvent toutefois reprendre une partie du contrôle de la relation client. En effet, ils permettent d'avoir accès à une offre plus importante que celle présentée par un site qui personnalise son offre sur la base de la connaissance du profil et du comportement du client.

■ Le « *social CRM* »

Les entreprises peuvent collecter différents types des données clients afin d'élaborer leur CRM. Elles doivent être capables d'analyser les données provenant du service clients, des offres promotionnelles, de mini-sites Internet dédiés à la collecte d'informations (jeux concours...), des clubs regroupant les meilleurs clients, mais aussi les informations provenant des pages de fans sur les réseaux sociaux (Facebook, Twitter...), des blogs...

On assiste donc à un remplacement progressif du CRM traditionnel *via* SMS, e-mails, centres d'appel, messages personnalisés par un social CRM se traduisant par :

– la création d'une base de données des discours des internautes sur les réseaux sociaux ;

– l'utilisation d'outil d'analyse de ces discours ;

– le développement de la capacité par l'entreprise à intervenir, en temps et en compétence, sur les réseaux sociaux *via* le *community management*.

Le social CRM implique des changements culturels et des transformations profondes dans l'entreprise. Dans cette optique, les clients diffèrent moins par leur valeur monétaire que par leur degré d'engagement et de participation (commentaires postés, informations transmises...). Ces deux critères doivent donc être pris en considération lors de la segmentation.

Le social CRM implique la mise en place d'une stratégie d'écoute des internautes (clients ou non), le développement d'une capacité à interagir avec eux et l'instauration d'une démarche commerciale fine de vente de produits ou services. Pour cela, l'entreprise doit exploiter le Web 2.0 pour permettre une circulation de l'information horizontale et non plus hiérarchique (verticale).

■ La gestion de la relation client multicanal

La gestion de la relation client multicanal a souvent pour objectif la maîtrise des coûts opérationnels. Elle incite le client à utiliser, de manière prioritaire, les canaux les moins coûteux. Afin d'éviter de dégrader la qualité de service et provoquer l'insatisfaction du client, il faut lui laisser le choix du canal de contact. Cependant, il faut l'inciter à utiliser le canal le moins coûteux et proposer un système d'escalade vers un autre canal de contact s'il n'obtient pas de réponse à sa demande (par exemple d'un agent virtuel intelligent vers agent réel de centre d'appel).

Les canaux électroniques de relation client (AVI, *chat* en ligne, FAQ, forum d'aide, e-mail...) sont moins coûteux que les canaux traditionnels (téléphone, vendeur...). Par exemple le coût d'une conversation réussie gérée par un AVI s'élève entre 20 centimes et 1 euro alors qu'il en coûte à l'entreprise entre 3 et 8 euros pour traiter un e-mail et entre 8 et 20 euros pour un contact par téléphone.

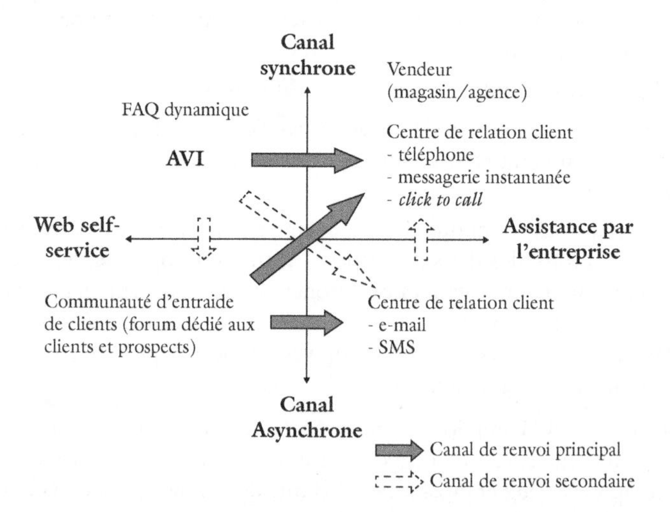

Figure 6.1 – Les différents canaux de contact de la relation client multicanal

Source : Viot et Bressolles (2012).

Les différents canaux de contact de la relation client peuvent être positionnés selon deux axes. Le premier oppose l'assistance directe par l'entreprise au *Web* self-service (qui consiste à laisser le client ou le prospect être maître de sa relation avec l'entreprise en lui offrant, sur un mode intuitif et structuré, l'accès à l'ensemble des informations dont il peut avoir besoin, depuis le site Web de l'entreprise). Le second oppose les canaux synchrones et les canaux asynchrones (figure 6.1).

Selon ce schéma, l'AVI et la FAQ dynamique sont des dispositifs de communication synchrone en self-service. Ils constituent un point d'entrée de la relation client en ce sens qu'ils peuvent renvoyer un internaute vers les autres canaux de contact alors qu'aucun canal ne va renvoyer vers eux. Dans le cas d'un basculement vers un autre canal, il semble préférable d'opter pour un canal synchrone (téléphone, messagerie instantanée, *click-to-call*) plutôt qu'asynchrone (e-mail et SMS) car le fait de passer d'un canal instantané à un canal différé pourrait créer un sentiment d'insatisfaction chez le client ou prospect.

Par rapport aux dispositifs qui relèvent du Web 2.0, comme par exemple les communautés de clients, parmi lesquelles « La Fourmilière » de Cdiscount, l'AVI présente plusieurs avantages. Il fournit systématiquement des réponses aux questions posées alors, qu'au sein d'une communauté, celles-ci reposent sur la bienveillance des membres. La communication avec un AVI ou une FAQ dynamique est synchrone alors que les communautés fonctionnent en général sur le modèle d'un forum, canal asynchrone. En revanche, il se peut que les réponses obtenues au sein d'un forum soient plus pertinentes sur des questions spécifiques. Cela est d'autant plus probable pour les communautés qui disposent d'un *community manager*.

Bibliographie

ANDERSON C., *Free ! Entrez dans l'économie du gratuit*, Pearson, 2009.

ANDERSON C., *La Longue traîne*, Village Mondial, 2e édition 2009 (traduction de *The Long Tail: Why the Future of Business Is Selling Less of More*, 2006).

BAYE M., GATTI J., KATTUMA P. et MORGAN J., « Dashboard for Online Pricing », *The California Management Review*, 50, 1, 2007, pp. 202-216.

BERNARD Y., « La netnographie : une nouvelle méthode d'enquête qualitative basée sur les communautés virtuelles de consommation », *Décisions Marketing*, 36, 2004, pp. 49-62.

BRESSOLLES G., « La qualité de service électronique : NetQual. Proposition d'une échelle de mesure appliquée aux sites marchands et effets modérateurs », *Recherche et applications en marketing*, 21, 3, 2006, pp. 19-45.

CHAFFEY D., *Digital Business & E-commerce management: Strategy, Implementation and Practice*, Prentice Hall, 6e édition, 2014.

DECAUDIN J.M. et DIGOUT J., *e-Publicité, les fondamentaux*, Dunod, 2011.

DESMET P., « Les stratégies de prix sur Internet », *La Revue française de gestion*, 177/178 (2/3), 2000, pp. 49-68.

FLORES L., *Mesurer l'efficacité du marketing digital*, Dunod, 2e édition, 2016.

GLADWELL M., *Le point de bascule : comment faire une grande différence avec de très petites choses*, Transcontinental, 2003.

ISSAC H. et VOLLE P., *E-commerce : de la stratégie à la mise en œuvre opérationnelle*, 3e édition, Pearson, 2014.

KOZINETS R.V., « The Field Behind the Screen: Using Netnography for Marketing Research in Online Communities », *Journal of Marketing Research*, 39, February, 2002, pp. 61-72.

MICHEL G., *Au cœur de la marque. Les clés du management de la marque*; 2e édition, Dunod, 2009.

MOHAMMED R., FISHER R., JAWORSKI B et PADDISON G., *Internet Marketing: Building Advantage in a Networked Economy*, 2e édition, Mc Graw Hill, 2004.

OLIVER R.L., *Satisfaction: A Behavioral Perspective on the Consumer*, Boston, Irwin/Mc Graw-Hill, 1997.

PEELEN E., JALLAT F., STEVENS F., VOLLE P., *Gestion de la relation client : Total relationship management, Bigdata et marketing mobile*, Pearson, 4e édition, 2014.

PEPPERS D. et ROGERS M., *Le « one to one » en pratique*, Éditions d'Organisation, 1999.

STENGER T. et BOURLIATEAUX-LAJOINIE S., *E-marketing et e-commerce : concepts, outils et pratiques*, Dunod, 2e édition, 2014.

VIOT C., *Le e-marketing à l'heure du Web 2.0*, 3e édition, Gualino, Lextenso éditions, 2011.

VIOT C. et BRESSOLLES G., « Les agents virtuels intelligents : quels atouts pour la relation client ? », *Décisions marketing*, 65, 1, 2012.

Index

74545 – (III) – OSB 80°– NOC – BGD
Dépôt légal : avril 2016
Suite du tirage : avril 2018

Achevé d'imprimer par Dupli-Print à Domont (95)
N° d'impression : 2018033621
www.dupli-print.fr

Imprimé en France